JN062854

"快適自己ペース"

― ランニング指導における発想の転換 ―

橋本公雄（著）

はじめに

　2020 年。それはわが国にとっては 56 年ぶりに「2020 東京オリンピック・パラリンピック大会」が開催され、歴史に残る輝かしい年となるはずでした。しかし、年明けから中国武漢市で発生した新型コロナウィルス感染症（COVID19）の話題がニュースとなり、その感染拡大が徐々に世界中に広がり大変な状況に陥っていくことになります。とうとう「2020 東京オリンピック・パラリンピック大会」も 1 年延期となってしまいました。私は高校 2 年生のとき宮崎県延岡市のある一区間（2Km の距離）を聖火ランナーのリレー隊の一員として走ったこともあり、懐かしく期待をしていただけに残念でなりません。

　世界的な新型コロナウィルスの感染者や死亡者の拡大に歯止めがかからず、WHO もパンデミックを宣言することとなりました。すでに世界の感染者数は 7,360 万人、死亡者数は 164 万人（12 月の時点）となり、増加の一途をたどっています。近年では、エボラ出血熱（1976 年）、SARS（2003 年）、MERS（2019 年）といったウイルスに脅かされてきましたが、これほどの感染拡大は 100 年前に発生したスペイン風邪以来のことです。

　わが国でも 4 月に入ると、全国的に緊急事態宣言が発出され、外出・移動の自粛、飲食店の閉鎖、テレワーク、学校の休校と、かつて経験したことのない日常生活を強いられることになってしまいました。そのため、国民の多くが運動不足や健康障害へのリスクも高まり、運動不足解消のためにテレビではスポーツ選手や運動指導者の皆さんが自宅でもできるさまざまな運動を紹介したりしていました。

　そのようなとき、山口大学教育学部の上地広昭先生（運動心理学）から、突然「快適自己ペース走」を学内ホームページで動画配信したいとのことで、許可のお願いのメールが入りました。教育学部長である丹信介先生（運動生理学）が、学長から「山口大学のホームページ上で、なにか外出自粛中でも行えるいい運動を学生向けに紹介してもらえないか」と打診されたそうです。相談の結果、快感情が高まるとされる「快適自己ペース走」の動画を制作し、紹介することになったとのことでした。制作された動画をみせていただきました。非常にわかりやすく、これならだれでもやってみたいと思われるような仕上がりで

した。本書を読まれる前に，ぜひ山口大学のホームページに搭載されている「コロナに打ち勝つストレス快走！快適自己ペース走」をご覧になり，「快適自己ペース（CSEP: Comfortable Self-Established Pace」という主観的な運動強度のイメージを掴んでいただけたらと思います。

　長年，自己選択・自己決定型の主観的な運動強度としての「快適自己ペース」という運動強度を用いた「快適自己ペース走（CSPR: Comfortable Self-Paced Running）」や「快適自己ペース歩行（CSPR: Comfortable Self-Paced Walking）」に伴うポジティブ感情の変化にかかわる研究を行ってきましたが，こういう形で役立つのかと，正直驚き，感動さえ覚えました。

　「快適自己ペース」に関する学術書は，すでに九州大学の斉藤篤司先生（運動生理学）との共著で「運動継続の心理学—快適自己ペースとポジティブ感情—」（福村書店, 2015）を発刊していますが，これは学術書なので少々難しすぎます。そこで，体育教員の先生方，運動指導のインストラクターの方はもとより一般市民の方々のために，もう少しわかりやすく解説した普及本を発刊したいと考えていましたが，多忙ななか執筆が進まず今日に至っていました。しかし，国民の多くの人びとが，現在コロナ感染拡大防止のためさまざまな活動の自粛を余儀なくされ，身体活動・運動が制限されており，運動不足に陥っていると思います。そのような状況のなかで，丹先生や上地先生に触発され，思い切って「快適自己ペース」の普及本を執筆することにした次第です。

　テレビでは，自分でもできる手軽で多様な運動が紹介されています。そのような運動もよいと思いますが，身近で，いつでも，どこでも，だれにでもできる運動といったら，ウォーキングかジョギングとなります。4月以降歩いている人や走っている人が多くなったような気もします。これからウォーキングやジョギングを始めようと思っている人，運動・スポーツの指導者や体育教師の方々に，ぜひ個々人がもつ固有の「快適自己ペース」という主観的な運動強度を探索してもらいたいと思っています。

　「快適自己ペース」は運動後のポジティブ感情を最大化させ，運動の継続化を考えて考案したもので，学校体育や校内マラソン大会の走運動（持久走）の指導，健康・体力づくりの維持増進の運動処方，そして一般市民の方々の健康づくりに適用することができます。運動の効果は継続のあとについてくるものですが，運動の継続がなかなか難しいので，まずはどうしたら運動が継続して

できるかを考えたわけです。つまり，運動処方や走運動指導のパラダイム転換を図った形になっています。中学と高校の平成 28・29 年の学習指導要領の持久走の指導のなかに，「自己に合ったペース」とか「一定のペース」などの文言が記載されていますが，いったいこのペースとは何を指すのか，具体的な説明がなされていません。実は本書で解説する「快適自己ペース」こそが，これに相当するものなのです。

　すでにウォーキングやジョギングを日常的に行っている人は一定のペースで実施されておられると思います。誰から教わったペースではなく，運動者自身でいつの間にか獲得した一定のペースと考えられます。これこそが本書で提案される「快適自己ペース」であり，人それぞれに固有の「快」を感じるペースが存在しますので，このペースを体育授業の走運動（持久走）指導や健康づくりの運動処方に用いるということを考えているわけです。もちろんこれから運動不足解消を行おうと思っておられる方にも，ぜひお奨めしたいと思います。

　本書は 11 章で構成されています。

　第 1 章では，現代人の身体活動不足に鑑み，なぜ運動をしなければならないのか，身体活動量を増やす必要性について書き起こし，第 2 章では，人はなかなか運動をしませんし，開始してもドロップアウトして継続できませんので，行動を説明し予測する理論として態度理論と計画的行動理論を紹介し，わが国の国民の行動特性について述べています。しかし，これらの理論を理解するのは難しい側面と運動指導現場では適用しにくい側面がありますので，第 3 章で運動継続者の視点から内発的動機づけ（やる気）を高める要因と身体的資源（要因）で構成した理解しやすい行動変容技法を含む「運動継続化の螺旋モデル」を紹介しています。第 4 章では，これまでの先行研究で明らかにされてきた運動による不安低減効果と抗うつ効果を概観し，21 世紀に入り台頭してきたポジティブ心理学の研究領域の 1 つであるポジティブな感情の研究を紹介するとともに，運動によってなぜネガティブ感情が改善するのか，そのメカニズム（生物学的仮説と心理学的仮説）を簡潔に解説しています。つづいて第 5 章では，これまで運動心理学で用いられてきた不安，抑うつ，気分を測定する尺度を紹介するとともに，著者らが開発した「運動特有のポジティブ感情尺度（MCL：Mood Check List）」とメンタルヘルスを測定する「精神的健康パターン診断検査票（MHP：Mental Health Pattern）」を紹介しています。

第6章からが本書で主張される「快適自己ペース」の研究に基づく内容となりますが，第6章では，なぜ「快適自己ペース」でなければならないのか，その理由と理論的背景について解説し，第7章では，「快適自己ペース」の運動強度とその一貫性を述べるとともに，運動後のポジティブ感情を最大化させる至適運動強度としての「快適自己ペース」について記述しています。第8章では，快適自己ペース走（CSPR: Comfortable Self-Paced Running）に伴う感情変化とその要因について述べています。

　第9章からは応用編であり，第9章では「快適自己ペース」の運動継続化と健康・体力づくりへの適用について記述し，第10章では，大学体育実技授業で「快適自己ペース走」を実施した際の学生の感想と，小・中・高の学校体育における走運動指導の現状と課題について，教育現場を経験されてこられた先生方に，指導における具体的な工夫や指導の難しさについて経験を語っていただいています。

　最後の第11章では，「快適自己ペース」を用いたエアロビック運動における指導の進め方とポジティブ感情の測定法，「快適自己ペース」の運動強度の算出法について記述し，読者の皆さんがすぐに使用できるように感情尺度の資料を掲載しています。「論より証拠」で，この章に掲載されている資料を用いて，実際に不快を感じない「快適自己ペース」でウォーキングやジョギングを行っては如何でしょうか。ポジティブな感情の変化が読み取れることでしょう。

　運動による健康・体力づくりの効果はだれでも知っていますが，「継続は力なり」といわれますように，継続した人だけがその恩恵を受けることになります。しかし，運動も継続することは難しく，逆戻りやドロップアウトしてしまいます。「快適自己ペース」は，個々人の「快」を感じる固有のペースに着目し，有酸素性運動（ウォーキング，ランニング，自転車こぎなど）の運動処方におけるパラダイム転換を図る意図をもって研究し，本書ではその内容を解説しています。

　読者の皆さんの運動遂行に少しでもお役に立てれば幸甚に存じます。

2020.9

橋本公雄

目　次

第一部

運動継続の困難さと
運動に伴う感情研究の問題

第1章 身体活動や運動の増強はなぜ必要なのか

1節　現代人の身体活動不足とその影響

1．生物学的進化と文化的発達のインバランスによる
　身体的不活動化

　人類の起源はどこから始まっているのでしょうか。直立二足歩行を獲得して
いたのは，700万年前にアフリカで生息していたサヘラントロプス・チャデン
シス猿人という説があります（NHKスペシャル, 2018）。ここから人類の直立
二足歩行が始まったとすれば，実に700万年の悠久の歴史を有することになり
ます。人類は直立二足歩行により手が自由に使えるようになり，環境に適応し
ながら生物学的進化を果たしていきますが，同時に大脳皮質の肥大化によって，
高度の知性をもち，火を扱い，物を作り，文化を発達させてきました。この間
の生物学的進化と文化的発達はバランスを保ちながらゆっくりと進んできた
わけです。
　ところが，18世紀中ごろからイギリスで起こった産業革命，つまり機械工業
化は私たちの生活環境を一変させることになります。この産業革命後の250年
間の歴史は700万年の人類史からみると，どれくらいの長さになるのでしょう
か。人類がスタートして今日までの歴史を100mに換算してみますと，なんと
現在から0.4cm手前で産業革命が起きたことになります。まさに人類史からみ
れば私たちの生活環境は突然変異的に変化したことになります。つまり，この
人為的な生活環境の変化は生物学的進化と文化的発達のインバランスの状態
を生む結果をもたらすことになったわけです。
　文明の発達した先進諸国の社会では，近代化，都市化，機械化，省力化によ
って，肉体労働は機械が取って代わり，移動手段は自動車や公共交通機関の発
達によって歩くことなく遠くまで行くことができ，日常生活のなかにもさまざ
まな便利な機器が入ってきています。掃除や洗濯は1960年代までは，まだ箒
と洗濯板を使って行っていましたが，現在ではどこの家庭でも掃除機や洗濯機

はあり，ほとんど身体的な活動なしにこれらを行えるようになりました。実に便利で快適な生活を営むことができるようになっています。

　しかし考えてみれば，この利便性と快適性を追求してきた技術革新による近代化というのは，その多くは身体活動の省力化といっても過言ではありません。私たちはこれによって身体的な苦労や苦痛が軽減され，安楽な暮らしができるようになりました。そのうえ，座位中心の生活となっており，結果として身体的不活動化が生じ，人類が獲得してきたこの直立二足歩行すら忘れ去られる状況に陥っているのです。

2．現代人の身体的脆弱化

　未開発の国々の人びとの身体能力や諸機能（たとえば，視力など）の高さがテレビで放映され，視聴者を驚かせていますが，もともと現代人もそのような身体的な能力や機能を合わせもっていたと思われます。しかし，人類が長い歴史のなかで作り上げてきた身体は，いわば身体的な刺激が少なくなった環境のなかで，現代人はその弱い刺激に適応し，身体的な脆弱化（不健康化）が生じているものと思われます。

　たとえば，近代化と収縮期血圧値の関係を調べた興味深いデータが大柿（1980）によって提示されています。図 1-1 は 60 歳代男性の平均収縮期血圧値を民族や地域（国や県）ごとにプロットしたものです。縦軸に収縮期血圧値，横軸に近代化の進展に伴う社会を示しています。20 歳代の民族や地域間には収縮期血圧値に差はないとのことですが，60 歳代では，採取狩猟民・遊牧民の社会，原始的農耕および発展途上の社会，近代的な社会の 3 群間で顕著な差がみられ，国や社会が近代化されるにつれて 60 歳代の収縮期血圧値が上昇していることがわかります。高血圧になる要因には，食塩の過剰摂取，肥満，飲酒，運動不足，ストレス，遺伝的体質など多くの因子が関係しています（厚生労働省，ホームページ a）ので，一概にはいえませんが，この図から近代化，つまり身体活動量が減少する社会になるにつれ，高齢者の収縮期血圧は高くなるということがいえるわけです。残念なことに，幸福を求めてきたはずの近代化ですが，人はかえって身体的に脆弱化するというパラドックスに陥ってしまっています。つまり，便利さの代償として不健康になるということを示唆しています。

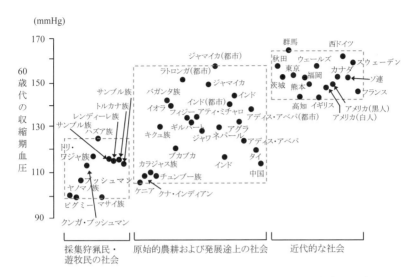

(mmHg)

図 1-1. 生活形態と 60 歳代（男性）の収縮期血圧（大柿, 1982）

　ところで，運動不足病という言葉をご存知でしょうか。これは身体活動量が少ないことによって引き起こされた疾患という意味で，J. モーリス（Morris, 1953）による職種（身体活動量）と冠状動脈心疾患（心筋梗塞や狭心症）の罹患率や死亡率との関係が調査研究や疫学的研究で明らかにされたことに端を発しています（青木ら, 1982）。この研究は，イギリスのバス会社で働いている身体活動量（エネルギー消費量）の少ない運転手と多い車掌の冠状動脈心疾患の罹患率と死亡率を比較したところ，運転手のほうが車掌より冠状動脈心疾患の罹患率や死亡率が高かったことから，心疾患の原因が身体活動量にあることを見い出し，運動不足病と命名され研究が始まったことにあります。その後，運動不足病は内科的疾患だけでなく，外科的疾患や精神的疾患を含む概念として扱われており，運動不足が身体的，情緒的ストレスを介して，これらの疾患が発症することが示されています（Kraus & Raab, 1961）。

　わが国の戦後の疾病は感染症から非感染症の生活習慣病（がん，心臓病，脳卒中など）が主流となっていますが，糖尿病，心臓病，高血圧などの多くの疾患が身体活動量の不足とかかわっていることから，これらの生活習慣病の多くが運動不足病ともいえ，運動が奨励されている所以です。

3．身体活動と運動の違い

　からだの動きを表す言葉に，身体活動（physical activity）や運動（exercise）という用語があります。これらの言葉の意味は少し異なりますが，私たちはそれほど気にもとめず，日常的には同じ意味として使っています。むしろ，身体活動より運動という言葉を多用しているかと思います。類似した用語としては，スポーツ活動もありますが，こちらは野球，ゴルフ，サッカーなどのプロフェッショナルスポーツや，学校での部活動および地域で行われるスポーツ活動をイメージしますので，勝敗を競う身体を用いる活動あるいは楽しみとして行う活動として理解されやすいかと思います。しかし，身体活動と運動はどのような違いがあるのでしょうか。

　これらは同じからだの動きを表す用語ですが，身体活動は「エネルギーの消費を生じさせ骨格筋によって行われるあらゆる身体的な動き」のことをいい，運動は「1つ以上の体力要素の改善，または維持するために行われ，計画され，構造化され，そして繰り返し行われる身体的な動き」と定義されています（Casperson, et. al., 1985; 竹中，2002）。このように，厳密にいいますと，身体活動と運動の意味は異なり，運動は身体活動のなかに含まれる概念となります。

　たとえば，日常生活における炊事，洗濯，通勤や買い物に歩いていったり，2階へ上がるという筋活動を伴う身体的な動きは身体活動であり，運動とはいいません。しかし，同じ歩く，階段を上がるという移動行動であっても，健康・体力の維持増進のために毎日30分歩く，1万歩歩くとか，2階に1日10回は上がるとなると，これは明確な目的があり，繰り返し，一定の時間や回数を行う意図的な筋活動を伴う身体的な動きですので，運動となります。このような使い分けがなされるわけです。

　ここでなぜ身体活動と運動の用語の違いを説明しているかといいますと，人はなかなか運動をしたがりませんが，日常生活で行われる身体活動なら少し意識すれば無理なく増やすことができますので，あえて用語の使い分けを説明しているわけです。しかし，あいまいな日本人ですので，普段はどちらを用いても意味は通じ，それほど問題にならないとは思います。

　前述しましたように，身体活動量の不足による身体機能の低下を説明するものとして，体力や健康障害に関する研究が数多く行われてきました。たとえば，長年坂の上に住んでいる婦人は，平地に住む婦人と比べて，疲れやすさ，息切れ，便秘，胃の調子の悪さ，肩こり，腰痛・肩痛などすべての項目で自覚症状

の訴え率が低く，心肺機能が高いことが明らかにされています（田原ら，1980）。これらの坂の上に住む人は，日常的に必要に駆られて行っている移動手段ですので，身体的に負担を感じるかもしれませんが，日常生活で多くの負荷のかかった身体活動を行っていますので，健康度や体力が高くなるというわけです。しかし，坂の上の人は運動を行っているという意識はないと思います。平地に住む人が坂の上に住む人の健康・体力水準に近づけるためには，ある一定の期間にさまざまな運動様式を用いて身体的なトレーニングを行えば，同等の水準に到達することはできるでしょう。この研究は身体活動の負荷のかかる生活環境では，その適応現象として身体的に強化され，健康度や体力が高くなるといういい事例だと思います。

　もし長期的に身体活動量を増加することで，運動プログラムに参加することと同じ効果がみられるとすれば，運動をあえて行う必要はなく，日々の生活における身体活動量を増やせばよいということになります。ダンら（Dunn, et al., 1999）は，6か月間にわたる1日30分間の個々人の好みで身体活動量を増強させる群（ライフスタイル群）と指導者による運動トレーニング群（6か月後も，やや低い強度での運動を継続するように指示される群）に分け，エネルギ

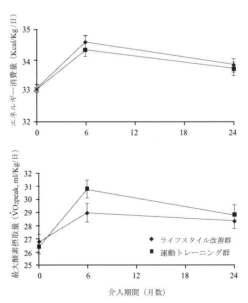

図1-2．ライフスタイル改善群と運動トレーニング群のエネルギー
消費量と最大酸素摂取量（$\dot{V}O_2$peak）の変化

ー消費量と総合的体力の指標である最大酸素摂取量（VO₂peak）の増加と 18 か月後の効果の持続について調べています（図 1-2）。

　その結果，両群ともエネルギー消費量は 6 か月後に顕著な増加がみられ，18 か月後もベースラインより有意に高値を示しています。一方，最大酸素摂取量（VO₂peak）においては，6 か月後は運動トレーニング群のほうがライフスタイル群より顕著な効果がみられますが，18 か月後にはほとんど差はなく，ベースラインより高値を示しています。この結果は長期間にわたって身体活動と運動の効果をみると，日常生活の身体活動量を増やしても運動トレーニングを行っても変わりはないということを意味しています。このようなことから近年，健康・体力づくりに運動だけでなく身体活動量も重視されることとなり，米国はもとよりわが国の健康日本 21 でも，身体活動・運動として用い，日常生活での身体活動量と運動量の増強の促進が図られているわけです。

　本書では，快適自己ペース歩行（Comfortable Self-Paced Walking: CSPW）や快適自己ペース走（Comfortable Self-Paced Running: CSPR）という歩行運動や走運動（ジョギング，ランニング）を行うときの実施法や指導法を提案していくことになりますが，できるだけ座位的な日常生活のなかに，さまざまな身体活動を増やしていくことを推奨したいと思っています。

2節　ウォーキングの実施状況と運動継続化の困難さ

1．ウォーキングの実施状況

　直立二足歩行は幼児から高齢者まで，歩行機能に異常がなければ，だれにでもできる移動様式ですが，それを運動として生活のなかに取り入れるとしたら，人はどのように思われるでしょうか。年代によっても異なりますが，青少年の人たちは「ウォーキングをですか？」，それよりも「スポーツが楽しいですよ。」と敬遠されるのではないかと思います。若者や壮年の人たちでしたらウォーキングよりジョギングやランニングを好むか，あるいはスポーツ活動を行うかもしれません。高齢者の人では，ウォーキングを行っている人をよく見かけます。

1) 一般市民のウォーキング行動変容段階の割合

2008（平成20）年度にC市の健康診断を受診した人と市職員の男女691名（平均年齢，男性54.8歳，女性53.0歳）を対象に，ウォーキングに関する実態調査を実施してみました（橋本, 2010）。

まず，ウォーキングの行動変容段階（ステージ）をみてみましょう。行動変容段階とは，行動の実施・非実施（する・しない）でみるのではなく，レディネス（準備性）という意図を組み合わせて，「無関心期」「関心期」「準備期」「実行期」「維持期」の5段階で人の行動の変容段階をみる方法です。これはプロチャスカとディクレメンテ（Prochaska & DiClemente, 1983）が提示するトランスセオレティカル・モデルという行動を説明するモデルに含まれる概念の1つです（図1-3）。たとえば，運動の行動変容段階は，下記のように5つの段階で測定されます（岡, 2003）。

無関心期　私は現在，運動していない。また，これから先もするつもりはない。
関心期　　私は現在，運動していない。しかし，近い将来（6か月以内）に始めようと思っている。
準備期　　私は現在，運動している。しかし定期的でない。
実行期　　私は現在，運動している。しかし初めてから6か月以内である。
維持期　　私は現在，運動している。また6か月以上継続している。

皆さんの運動の行動変容段階はどのステージに当てはまりますか。前期ステージ（無関心期，関心期）から後期ステージ（実行期，維持期）に移行するほど，運動を実施し継続して行っていることになります。また，後期ステージに移行するほど，運動への自己効力感（自信）が高く，運動を遂行することへの負担より恩恵が高くなりますので，意志決定のバランス（恩恵－負担）は正の値となります。しかし，前期ステージはその逆となります。運動の継続化というのは，この行動変容段階を行きつ戻りつしながら後期ステージへと進んでいき，日常生活の一部になっていくものと思われます。

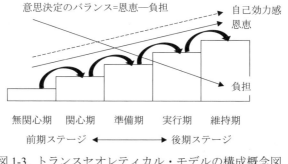

意思決定のバランス=恩恵—負担

自己効力感

恩恵

負担

無関心期　関心期　準備期　実行期　維持期

前期ステージ ◀━━━━━▶ 後期ステージ

図 1-3. トランスセオレティカル・モデルの構成概念図
（橋本作成, 2018）

　さて，ウォーキングの行動変容段階に占める割合を年代別に図 1-4 に示しました。まず，男女全体でみてみますと，運動としてウォーキングをしていないし，今後もするつもりもない「無関心期」の人は27.6%と4分の1を占め，近いうちに（6か月以内）に始めようと思っている人の「関心期」を合わせると，55.5%の人がウォーキングを行っていないことになります。運動として最も簡単なウォーキングですら半数以上の人が行っていないことになります。これらに対し，6か月以上にわたって継続的にウォーキングを行っている「維持期」の段階の人は，「実行期」の段階の人を合わせても22.5%しかいません。このように，如何に人は「歩く」という運動すらやらないかということがわかります。

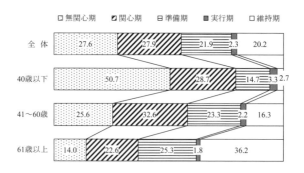

図 1-4. ウォーキング行動変容ステージの割合（橋本, 2010）

もちろん他にスポーツ活動を行っている人なら，わざわざウォーキングを行う必要はないという人もいるかと思います。

　しかし，ウォーキングの実施・非実施は年代別で明らかに差があり，40代以下では無関心期の人が50.7%を占めていますが，この段階の人は加齢に伴い減少し，逆に維持期の人が多くなり，61歳以上では36.2%も占めています。つまり，加齢とともに，ウォーキングを日常的に行っている人が増加するということです。

　そこでさらに，ウォーキング実施・非実施でみてみました。結果は，図 1-5 に示すとおりで，ウォーキング実施者は若年層で低く，40 歳代未満では 20% 程度ですが，40 歳代以降徐々に増加し，60 歳代では55%に達し，2 人に 1 人がウォーキングを実施しているようです。

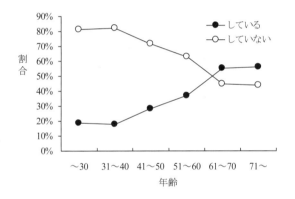

図 1-5. 年代別にみたウォーキング実施率（橋本, 2010）

　また，別項目でウォーキングに対するイメージを尋ねましたところ，「健康づくりに役立ちそう（82.2%）」という項目が 8 割以上を占めていました。これらのことから，ウォーキングは若年者より高年者に愛好される運動様式であり，健康づくりの手段としてウォーキングを行っていることがよくわかります。また，ウォーキング実施者（269 名）のウォーキングをするきっかけは，「新聞・雑誌・テレビなどの健康記事や番組をみて（24.2%）」という回答が最も多くを占めていました。

加齢とともに健康不安が生じてきますので，マスメディアを通じて健康意識が高まり，とりあえず歩いてみるというところから健康の維持増進のための運動がスタートしているようです。

2）ウォーキング実施・非実施の理由
　では，なぜウォーキングは愛好されるのでしょうか。その実施理由を複数回答で尋ねてみますと，「身体を丈夫にしたり，体力をつけるため（63.6%）」「健康づくりに役立つため（61.7%）」「生活習慣病の予防・改善のため（52,8%）」がいずれも 50%以上で上位から 3 位を占め（図 1-6），半数以上の人が健康の維持増進のためにウォーキングを実施していることになります。つまり，健康に対する意識が高まる高年者にとって，移動行動としての直立二足歩行が健康・体力づくり運動としてのウォーキングに代わっていっているわけです。この理由は，ウォーキングが最も身近で手軽な負担のない運動様式であり，研究成果の前述した情報提供もさることながら，ウォーキングのイベントなどが身近なところで開催されているからと推察されます。

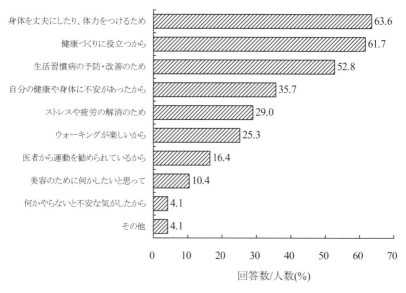

図 1-6. ウォーキング実施の理由（橋本，2010）

一方，ウォーキングの非実施の理由としては，「時間がない（43.6%）」が最も多く，つぎに「特に理由はない」が38.6%を占めていました（図1-7）。

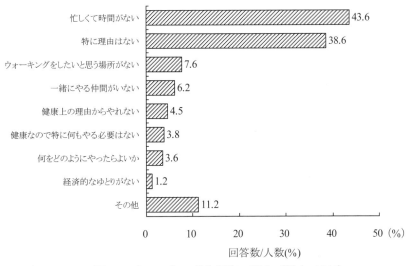

図 1-7. ウォーキング非実施の理由 （橋本, 2010）

このことから，ウォーキングを実施しない最大の要因は「ウォーキングをする時間がない」ということがわかります。しかし，本当にそうでしょうか。1日のなかで5分や10分の時間は容易に作れないことはないはずです。つまり，時間がなくて運動としてのウォーキングができないのではなく，時間がないという誤った認識（歩きたくない合理的な理由）のためにウォーキングをしないだけの話です。よって，2番目の理由の「特に理由はない」が多くなるわけです。

このように，運動強度が低く簡単でだれにでもでき，長期的に行えば必ず身体的・心理的な恩恵が得られるウォーキング（村田ら, 2009）ですが，日常生活では身体活動として歩いていても運動としては行っていないようです。

2009 年（平成 21 年）の NHK の健康に関する世論調査をみてみますと，「生活で大切なこと」は「健康」が第1位で7つの選択肢から2つ選択させた場合71%を占め，他の選択肢を引き離し圧倒的に高く，また「健康に気をつけている（いつも+ときどき）」者は80%であることが報告され（山田・酒井, 2009），国民の健康意識は非常に高いといえます。しかし，運動・スポーツの実施率を

みますと，「過去1年間にまったく運動・スポーツを実施しなかった者（レベル0）」は31.7%（男性27.4%，女性27.4%）であり，「週2回以上，1回30分以上，運動強度「ややきつい」以上（レベル4）」は15.9%（男性17.2%；女性14.7%）に過ぎません（笹川スポーツ財団, 2006）。

　このように，国民の健康意識は高いのですが，健康や体力の維持・増進のために運動やスポーツ活動などの健康行動を行っている人は多いとはいえません。したがって，厚生労働省（ホームページb）は統一標語として，「1に運動，2に食事，3にしっかり禁煙，最後にくすり」を掲げ，生活習慣病の予防と治療を促しているわけです。また，人びとのニーズに応えるために，市区町村の行政機関や民間企業では，健康づくりのためのさまざまなプログラムを提供していますが，住民の人口比を考慮しますと，ごくわずかの人しか参加していないことになります。

2. 運動継続の困難さ

　私たちは自分にとって意義があり，価値があると思う行動を選択しますが，長続きできず，すぐやめてしまう人もたくさんいます。なぜかといいますと，選択行動は二者択一といって，2つのことを同時にはできないからです。行動を選択するときは欲求が強いか，あるいはより価値があるほうを選択するわけです。行動を開始して長続きしないと，人は「三日坊主」とか「早好きの早飽き」と揶揄し，続かないことを皮肉ったり，批判したりします。人は何ごともやり始めるのはいいのですが，なかなかそれを続けることが難しいことは，今も昔も変わりません。ゆえに，「継続は力なり」とか「石の上にも3年」といって，継続することの重要性や価値が語られるわけです。継続すれば，必ず結果や効果があとになって表れてくるからです。

　運動プログラムに参加したとしても，45〜50%の人が普通3〜6か月以内にドロップアウトしているといわれています（Dishman, 1988）。そこで，社会人を対象としたC市における健康づくり教室への継続率の推移を約8か月間（26週間）にわたって調べてみました（橋本, 2001）。図1-8に示しましたように，継続率は最初の1か月間で激減し4割の人がドロップアウトし，その後半年間まで少しずつ減少しますが，まだ4〜5割の人は継続しています。ところが，半年過ぎると再度激減し，最終的には2〜3割の人しか継続していませんでした。このように，運動教室への参加者は激減期（1か月以内），漸減期（2〜5

か月）を経て 6 か月後に再度激減し，6 か月以降ではわずかの人しか継続でき
ていません。

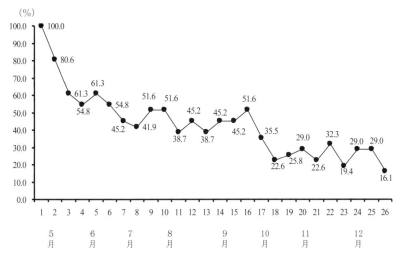

図 1-8. C 市の健康づくり教室における参加率の変化（橋本, 2001）

　前述しました行動変容段階の「実行期」「維持期」の基準がなぜ 6 か月とな
っているのか，この理由がわかるような気がいたします。行動変容・改善を試
みても少なくとも半年以上は継続しなければ逆戻りしてしまうということで
しょう。健康づくり教室への参加費を払い，優秀な運動指導者がいて，さらに
魅力的なプログラムが提供されたとしても，個々人のさまざまな理由から継続
ができず，参加者はドロップアウトしてしまいます。このような運動プログラ
ムへの参加率の低下は一般的な傾向と思われ，如何に継続することが難しい
かがわかります。
　以上述べてきましたように，人はあえて運動をしたがらないし，行ったとし
ても継続できないという現実があります。健康・体力づくり，体重の減量，シ
ェイプアップなど，健康や体型が気になりますので，食事制限や運動を実施し
ますが，さまざまな誘惑に負け長続きできません。そこには多様な要因があり
ますが，運動することに対するバリア（時間がない，場所がない，一緒に運動
する友だちがいないなど）があり，このバリアに抗して運動を行うことができ

るという効力感が低いというのも 1 つの理由としてあげられます。よって，このバリア感を取り除くことが，運動の開始・継続に重要なこととなります。運動様式としては，歩行は人間の基本動作ですので，身体的なバリアはそれほどないはずです。あるとすればその他の要因となります。

このように考えてみますと，運動することも続かないと考えるのは当たり前のことなのかもしれません。ただその運動することが日常生活の一部となり，習慣化すれば話は別で，無理なく継続して行えます。私たちは何かをし始めたらすぐに結果や効果を求めますが，まずはどのようにして継続できるかを考えたほうが良いのではないでしょうか。

文　献

青木純一郎・前嶋孝・吉田敬義（編）（1982）日常生活に生かす運動処方．杏林書院

Caspersen, C.J., Powell, K.E., Christenson, G.M. (1985) Physical activity, exercise, and hysical fitness: Definitions and distinctions for health-related research. *Public health Report*, **100**: 126-131.

Dishman, P.K. (1988) Exercise adherence: Its impact on public health. Human Kinetics. Champaign, IL.

Dunn, A.I., Marcus, B.H., Kampert, J.B., Garcia, M.E., Kohl, H.W. and Blair, S.N. (1999) Comparison of lifestyle and structured interventions to increase physical activity and cardiorespiratory fitness. *Journal of American Medical Association*, **281 (4)**: 327-334.

橋本公雄（2001）運動の継続化モデルの構築に関する研究．九州大学健康科学センター，Pp.47.

橋本公雄，（2010）ウォーキングの実態調査報告書—平成 20・21 年度版—．九州大学健康科学センター．

橋本公雄（2018）トランスセオレティカル・モデルの構成概念図．橋本公雄・藤塚千秋・府内勇希（編著）アクティブな生活を通した幸福を求める生き方—ライフ・ウェルネスの構築を目指して．ミライカナイ．

厚生労働省（ホームページ a）　高血圧　e ヘルスネット　https://www.e-healthnet.mhlw.go.jp/information/metabolic/m-05-003.html（2020. 年 8 月 20 日，参照）

厚生労働省（ホームページ b）
https://news.yahoo.co.jp/articles/48f77d2a4b180d3a9033b8b18a22572a67438 b08（2020 年.8 月 30 日，参照）

クラウス・ラープ／広田公一・石川亘（訳）（1977）運動不足病－運動不足に起因する病気とその予防－．ベースボール・マガジン社＜Kuraus,H. & Raab,W. Hypokinetic Disease: Diseases caused by lack of experience. Thomas, 1961＞

モーリス・J（Morris, 1953）青木純一郎・前嶋孝・吉田敬義（編）日常生活に生かす運動処方. 杏林書院, 1982.

NHK スペシャル「人類誕生」政策班（2018）NHK スペシャル人類誕生.

大柿哲朗（1982）2 章 運動不足の害. 青木純一郎・前嶋孝・吉田敬義（編）日常生活に生かす運動処方, 杏林書院.

岡浩一朗（2003）運動行動の変容段階尺度の信頼性および妥当性―中年者を対象にした検討―．健康支援, **5**: 15-22.

Prochaska, J.O. & DiClemente, C.C. (1983) Stage and processes of self-change in smoking: Towards an integrative model of change. *Journal of Consulting & Clinical Psychology*, **512**: 390-396.

笹川スポーツ財団（2006）スポーツライフ・データ.

竹中晃二・上地宏昭（2002）身体活動・運動関連研究におけるセルフエフィカシー測定尺度」体育学研究, **47**: 209-229.

田原靖昭（1980）坂道があなたの心臓を鍛える. 科学朝日, **12**: 69-72.

山田亜樹・酒井芳文（2009）現代日本人の健康意識―「健康に関する世論調査」から．NHK 放送文化研究所，放送研究と調査，**59 (8)**: 2－21.

村田伸・村田潤・大田尾浩・大山美智江・豊田謙二（2009）地域在住高齢者の身体・認知・心理機能に及ぼすウォーキング介入の効果判定―無作為割付比較試験―．理学療法科学, **24 (4)**: 509-515.

第2章　人はなぜ運動をするのか

1節　運動行動を予測・説明する理論

1. 運動行動に関連する要因

　「下手の横好き」とか，「好きこそ物の上手なれ」ということわざがあります。うまくはないけど好きだから続ける，好きなので一生懸命努力するから上達するということですが，ここには，「好き」という感情が物事を継続させる要因であることが示されています。確かに，好き，楽しい，面白いというポジティブ（肯定的）な感情をもたらす行動は継続します。継続の背後にはそういった感情的側面の影響があることは理解できるかと思います。

　私たちの行動は，食べる，寝る，排泄するという生理的な欲求に基づく行動と，その他の社会的欲求に基づく行動で成り立っています。生理的欲求は快・不快の原理で成立していますので，腹が空いたら食欲がわき食べる，眠たくなったら睡眠欲が生じて寝る，尿意や便意をもよおしたら排泄するという行動が生起します。これらは老若男女問わず生きていくために必要な生理的欲求に基づく行動です。しかし，その他の行動はすべて選択される社会的行動となりますので，これらの行動にはさまざまな要因が複雑にかかわっています。

　これまで，社会心理学の分野では多様な社会的行動，たとえば投票，献血，喫煙，飲酒などの行動に関し，人はなぜそのような行動を行うのか，あるいは行わないのかという要因が調べられてきました。もちろん運動も社会的行動の1つですので，運動行動（運動や身体活動）に関連する要因を調べる多くの研究が行われ，その結果がサリスとオーエン（Sallis & Owen, 1999）やトゥロストら（Trost, et al., 2002）によってまとめられています。これらの2つの研究に共通して強い関連がみられる要因だけを抽出し，表2-1に示しました。

　運動行動を説明する要因としては，「人口統計学的・生物学的要因」「心理的・認知的・感情的要因」「行動特性要因」「社会的・文化的要因」「物理的・環境的要因」「身体活動特性要因」に分類され，さまざまな要因があげられていま

す。「人口統計学的・生物学的要因」では，教育水準が高い人，女性より男性，経済状態のよい人が運動を行っており，「心理的・認知的・感情的要因」では，運動の楽しさ，よい結果の予期，運動意図が高いことなどの要因が多数あげられています。

ここでは，「心理的・認知的・感情的要因」に焦点をあて，運動行動の選択や継続の要因をみていくことにします。なぜなら，社会心理学の学問分野では，これらの心理的・認知的・感情的要因を用いて，さまざまな社会的行動を予測・説明する理論やモデルが多く提示されているからです。

表 2-1. 成人における身体活動に関連する要因（堤，2004 を改編）

人口統計学的および生物学的要因	行動特性要因
教育	成人期の活動歴
性（男性）	ダイエット習慣（質）
遺伝的要因	過去の運動プログラム
収入・社会経済状態	変容の過程
心理的・認知的および感情的要因	社会的および文化的要因
運動の楽しさ	医師の影響
利得への期待・結果予期	友人・仲間の社会的サポート
運動への意図	配偶者・家族の社会的サポート
健康や体力の知覚	
自己効力感	物理的環境の要因
自己動機づけ	
運動に対する自己スキーマ	身体活動特性要因
行動変容段階(ステージ)	

注）Sallis & Owen(1999)とTrost et al.(2002)に共通して、繰り返し示された
身体活動と強い正の関連がみられる要因

2. 運動行動を予測・説明する態度および計画的行動理論

1）態度とは何か

行動を説明する心理的要因として，認知，感情，欲求などの高さや強さによることは一般的に知られています。なかでも感情や欲求は行動に強い影響力をもっています。よって，行動を継続しているということは，その行動に対する

ポジティブな感情や強い欲求が働いているというわけです。しかし，認知的・評価的な側面の影響力は感情や欲求に比べると低いようです。たとえば，多くの人が運動することは健康の維持・増進によいことだとわかっていますが，健康行動として運動を行っている人は多くないということです。つまり，意識と行動に落差（非一貫性）が生じているわけです。しかし，運動することは楽しい，面白いというポジティブな感情はどうでしょうか。何らかの条件がそろえば行うことでしょう。運動欲求はもっと行動に結びつくと思います。

　こういった行動の起こる原因を社会心理学という学問分野では，「態度」という概念を用いて，行動を予測・説明し，態度の変容によって行動変容を促す研究が行われてきました。態度とは，「経験を通じて体制化された心理的、あるいは神経生理的な準備状態であって，人がかかわりをもつ対象に対する，その人自身の行動を方向付けたり、変化させたりするもの」と定義されています（Allport, 1935）。つまり，態度は刺激と反応（行動）を結ぶ媒介変数として位置づけられます。また，態度は後天的に形成され一貫性がありますが，変容もします。よって，行動変容を促すために好意的な態度形成や態度変容の研究が行われてきました。

　なお，態度は図 2-1 に示しますように，認知的成分，感情的成分，行為傾向的成分の 3 つの成分で説明されています（Rosenberg & Hovland, 1960）。認知的成分とは，「よい―悪い」「望ましい―望ましくない」といった対象に対する評価・信念的な側面で，感情成分とは，「面白い―面白くない」「楽しい―苦しい」といった対象に対して抱く好悪感情を意味します。また，行為傾向的成分とは，接近―回避，受容―拒否の傾向を促す欲求や動機的な側面をいいます。これらの 3 つの成分（認知，感情，行為傾向）がポジティブ（好意的，肯定的）であれば，行動が生起するというわけです。

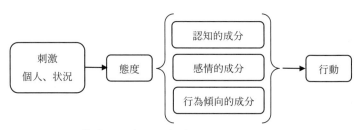

図 2-1．態度の三成分構造（Rosenberg & Hovland, 1960）

2) 運動・スポーツ行動に対する態度と行動の関係

　徳永ら（1976）は運動・スポーツに対する態度構造と行動との関係を調べる
ため，認知，感情，行為傾向の成分からなる運動に対する態度尺度（12 項目）
を作成し，橋本ら（1980）はこの尺度を用いて，学生（男性 3,032 名，女性 2,315
名）と社会人（男性 1,278 名，女性 880 名）を対象に，運動・スポーツに対す
る態度得点と行動（週平均のスポーツ実施程度）の関係を調べています。その
結果を図 2-2 に示しました。左図は学生男女で，右図は社会人男女を対象とし
たものです。縦軸は態度の 3 つの下位尺度の合計得点，横軸は週平均のスポー
ツ活動の頻度を表していますが，学生も社会人も性別にかかわらず，態度得点
が高くなるほど週平均の運動・スポーツ実施頻度が多くなっていることがわか
ります。

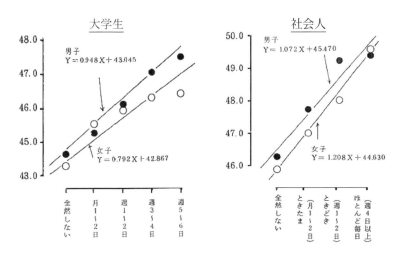

図 2-2. 運動・スポーツに対する態度と行動の関係（橋本ら，1980）

　このように，運動・スポーツに対する態度と行動には密接な関係があります
ので，運動行動を促進したり，変容させるために，運動行動に対する好意的な
態度を形成する意義はわかります。しかし，態度成分を詳しく調べてみますと，
認知的成分より感情や行為傾向的成分（動機的成分）のほうが行動と関係が強
いことが明らかにされているのです（橋本ら，1980）。

また，図 2-2 の好意的態度と非好意的態度の分岐点は 36 点（5 段階の回答肢の中間回答は 3，項目数は 12 項目）ですので，それ以上の得点は好意的態度を意味しています。そうしますと，運動・スポーツを「全然しない」人の態度得点は，学生で 44 点前後，社会人で 46 点前後を示していますので，実は好意的な態度を有しているといえます。つまり，運動・スポーツに対する好意的態度を有しているのに実施していないという，態度と行動に落差（非一貫性）がみられることになります。これでは，態度と行動にはポジティブな関係はみられても，運動・スポーツに対する好意的態度だけでは行動は予測・説明できないということになり，態度の形成や変容の意義は半減してしまいます。

3）計画的行動理論

　前述しましたように，人は運動・スポーツ活動をすることは良い，役に立つ（認知的成分）とわかっていてもその行動をするとは限りません。そこで，態度研究は態度以外の要因を加えて，フィッシュバインとエイゼン（Fishbein & Ajzen, 1975）の合理的行為理論（行動意図予測モデル）へ，さらにエイゼン（Ajzen, 1985）の計画的行動理論へと理論的に発展していきます。これらの理論はわが国の人びとの行動特性をよく説明できますので，ここでは計画的行動理論について解説することとします。

　この理論では，直接行動を予測・説明するのではなく「行動意図」を予測・説明することになり，行動意図と行動との間に高い相関関係があるときに成り立ちます。また，「態度」だけでなく，「主観的規範」と「行動の統制感」いう 3 つの要因で「行動意図」を説明しています（図 2-3）。ここでは，「態度」はある特定の行動に対する評価ないし感情として再規定されます。「主観的規範」は行動を遂行するべきかどうかに対する社会的プレッシャーであり，他者の期待をどのように認知しているかということになります。この「主観的規範」は「重要な他者の期待に対する信念」と「重要な他者の期待に従おうとする動機づけ」から成り立っています。そして，「行動の統制感」は行動の遂行に対する容易さ─困難さについての信念をいいます。つまり，さまざまなバリアを抗して行動を遂行できるかということです。この「行動の統制感」は，行動に対して「行動意図」を介した間接的な影響と直接的な影響をもたらします。よって，この計画的行動理論は意図しない行動をも予測・説明できます。つまり，私たちは予定していなかった行動を行うことがありますが，これはさまざまな条件や課題を考慮しても「できる」という統制感が高いから行えるわけです。

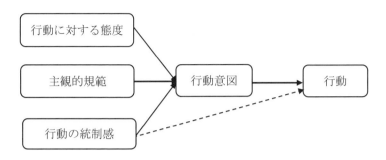

図 2-3. 計画的行動理論（Ajzen, 1985）

　話が少し難しかったかもしれませんので，運動行動で説明してみましょう。たとえば，なぜ人は運動・スポーツをするのかといいますと，運動に対するポジティブな感情と評価的態度を有し，重要な他者（親，親友，教師など）は自分が運動することを期待していると感じ（主観的規範，社会的プレッシャー），その運動・スポーツならさまざまなバリアを抗してでもやれるという自信が高いと，やろうという意図が高まり，運動・スポーツを行うということになるのです。よって，人の運動行動を促進・継続させるためには，運動行動に対する好意的態度を形成し，運動仲間をつくり互いに一緒に行うかサポートしてもらうかをして，運動することに関する多様なバリア感をどのようにしたら減らせるかを考えていくと，運動行動が開始・継続できるということになります。しかし，これでも人の行動がすべて説明できるわけではありません。それは表 2-1 で示しましたように，その他のさまざまな要因が存在するからです。

2節　わが国の国民の行動特性

1. 留学生活での体験にみる文化差

　ここで私たちの行動の特性をみてみたいと思います。わが国の国民は他者の

期待に応えよう（人から頼まれたら行う）と思う気持ち（主観的規範）が強いので，この計画的行動理論は私たちの行動をよく説明できると思います。自分はしたくなくても周囲から参加しないかと強く促されると，仕方なく参加する人は多いかと思います。また逆に，参加したくても，周囲の人びとは自分に参加してもらいたくない（期待されていない）と感じれば参加しないでしょう。この点，欧米人は個が確立していますので，個々人の考え（態度の認知的成分）や意志が強く，他者の期待感（主観的規範）の影響力はそれほど強くないようです。

　たとえば，私のアメリカでの体験を話してみましょう。1995年から10か月間在外研究員としてアリゾナ州立大学に留学したことがあります。そのころはわが国でもようやくパソコンが普及し始めたころで，マッキントッシュを持参していきました。ところが，アリゾナ州立大学にはウインドゥズしかなく，まったく使い方がわかりませんでした。そこで，近くにいた博士課程の院生に「ちょっとわからないので手伝ってくれないか」と尋ねたら，20歳も年下の院生は「今忙しい，明日の朝」とつれない返事でした。皆さんはこういう返事が返ってきたらどう思われますか。「あれっ，自分は彼から嫌われているのかな」と思ってしまいました。ところが，翌朝になって，彼が「昨日何か手伝ってくれといっていたけど，あれは何だったんだ」といって来ましたので，またびっくりしました。つまり，彼は「今はできないけど，明日なら手伝ってあげる」と約束してくれていたわけです。改めてアメリカ社会は契約社会なのだなと感じた次第です。

　おそらく皆さんも，人から何か助けを求められたら，たとえ自分が忙しくても一度話を聞いて，少しの時間なら手伝ってあげるかもしれません。しかし，彼は自分を優先し，その場は"だめ"と断り，"翌日の朝"といって，本当に来てくれたわけです。この文化の違いに始めて出くわしました。こういうことは多々ありました。ここに日米間の「主観的規範」の違いがあるわけです。アメリカに渡った日本人のご婦人が「アメリカは住みやすい。人のことを気にせずに生活ができるから」といっていましたが，アメリカの文化に馴染めばそれが普通となるのでしょう。

　また，応用スポーツ心理学という講義を受けたときのことですが，教授が「何か質問がありますか」と問いかけたら，受講生24名全員が手を上げていました。びっくりしました。わが国の大学生の多くは，「質問ありますか」と尋ねても手を上げません。つまり，他者の存在を意識して挙手行動ができないわけ

です。米国からの帰国子女も最初は挙手して質問や意見をいうようですが，自然と挙手しなくなると聞いています。

2．運動・スポーツ行動にみる文化差

　この文化の差は運動行動の研究でもみられます。欧米の研究では，運動に対する「行動意図」と「態度」や「行動の統制感」との関係は一貫して高い関係にありますが，「主観的規範」は中等度もしくは関係がみられない場合もあります。また，運動行動の「行動意図」に対して，「態度」は「主観的規範」の約2倍の影響力をもつことも指摘されています（Hausenblas et al., 1997）。さらには，アーミテージとコナー（Armitage & Conner, 2001）は1997年までに刊行された185の計画的行動理論の研究について調べた結果，「態度」「主観的規範」「行動の統制感」の3つの要因で，行動と「行動意図」をそれぞれ27%，39%を説明し，これらの変数は「行動意図」と運動行動の予測因として有効であると述べています。しかし，わが国の人びとの行動は人間関係，つまり他者との関係性のなかで生起しますので，「態度」よりむしろ「主観的規範」のほうが「行動意図」に影響しているかもしれません。

　そこで，運動行動に関し，主観的規範を規定する「重要な他者の期待に対する信念」と「重要な他者の期待に従う動機づけ」を日米の学生間で比較してみました（橋本, 2004）。まず，週1回の運動・スポーツに対する行動意図をみます（図2-4）と，「たぶんする」「きっとする」という肯定的な回答は，米国の学生（88.6%）のほうが日本の学生（46.7%）より約2倍高いので，よく運動・スポーツを行っています。

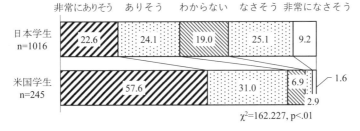

図2-4. 運動・スポーツに対する行動意図（橋本, 2004）

つぎに本題の,「親友の期待に対する信念」を図 2-5 でみますと, 米国の学生 (47.3%) のほうが日本の学生 (29.1%) より肯定的回答が多いので, 親友の期待を感じていることがわかります。これは米国人学生のほうが日本人学生より運動・スポーツをよくしていますので,「親友の期待に対する信念」が高いのは当然の結果かと思います。

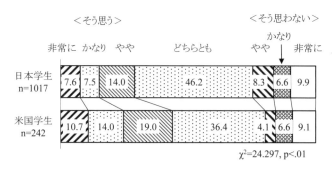

図 2-5. 運動・スポーツに対する親友の期待に対する信念(橋本, 2004)

しかし,「ふつう親友が自分に何かしてもらいたいことがあったとき, それに応えたいですか」という「他者の期待に従う動機づけ」を図 2-6 でみてみますと, 日本人学生は 58.5%が肯定的に「そう思う：親友の期待に応える」と回答しているのに対し, 米国人学生は肯定的な回答はわずか 17.1%で, 60.7%が否定的な回答（そう思わない：他者の期待に応えない）をしていました。

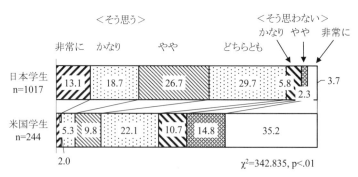

図 2-6. 運動・スポーツに対する親友の期待に対する動機づけ

このように，運動行動においても大きな日米間の違いがみられ，わが国の学生はいかに他者の期待に応えようとして行動しているかがわかります。

もう少し顕著な事例を紹介しましょう。小松（2011）は高齢者 98 名を対象にボランティア行動に計画的行動理論を適用したところ，「態度」「主観的規範」「行動の統制感」の 3 要因で「行動意図」を 50.5%説明しましたが，「行動意図」に対する規定力（β 値）をみてみますと，「主観的規範」と「行動の統制感」が「行動意図」に強い影響力をもっており，「態度」の影響力はまったくみられなかったことを明らかにしています。

このように，日本人の「主観的規範」は欧米人とは異なり，「行動意図」に深くかかわっており，計画的行動理論は私たちの行動をよく説明できるというわけです。

しかし，わが国の教育システムはアメリカをモデルとし，近年特に個性，自立と自律，自己主張といった個を重視する教育がなされています。よって，最近の若者の言動が中高年者の方々には理解できず，ジェネレーションギャップを感じる人もおられるのではないでしょうか。企業では上司が酒を飲みに誘っても断る若者が多くなっていると聞きます。他者の期待より自己主張が重要視されているからです。それでも若者の間に，「空気を読めよ」という言葉が飛び交っているのは，「周囲のことを考えて行動しろよ」ということで，まだ主観的規範の重要性が主張されているのではないでしょうか。

このように，計画的行動理論には主観的規範という他者の期待に対する信念が要因（構成概念）の 1 つにあげられていますので，他者との関係性を重視するわが国の人びとの行動がよく説明できるかと思います。

文　献

Allport, G.W. (1935) Attitudes. In C.M. Murchison (Eds.) Handbook of social psychology. Vol. 2. Clark University Press. Pp. 798-844.

Armitage, C.J. & Conner, M. (2001) Efficacy of the theory of planned behavior: A meta-analytic review. *British Journal of Social Psychology*, **40**: 471-499.

Ajzen, I. (1985) From intention to action: A theory of planned behavior. In J. Kuhl and J. Beckman (Eds.), Action control: From cognitive to behavior (pp.11-39). NY: Springer-Verlag.

Fishbein, M. & Ajzen, I. (Eds.) (1975) Belief, attitude, intention and behavior: An introduction to theory and research. Reading, MA: Addison-Wesley.

橋本公雄・徳永幹雄・松本寿吉（1980）生涯体育の視点からみた大学体育のあり方に関する研究―身体活動に対する態度と行動について．松本寿吉（代表）生涯体育の視点からみた大学体育のあり方に関する研究．九州地区生涯体育研究会．

橋本公雄（2004）第2部身体活動・運動と健康，4.わが国特有の運動行動のモデル構築と介入に関する研究推進．日本スポーツ心理学会（編），最新スポーツ心理学―その軌跡と展望―．大修館書店，pp. 132-133.

Hausenblas, H.A., Carron, A.V. & Mack, D.E. (1997) Application of the theories of reasoned action and planned behavior to exercise behavior: A meta-analysis. *Journal of Sport & Exercise Psychology*, **19**: 36-51.

小松智子（2011）ボランティア行動の予測とメンタルヘルスに及ぼす影響―健康行動としてのボランティアの確率を目指して―．平成22年度九州大学大学院人間環境学府修士論文．

Rosenberg, M.J. & Hovland, C.I. (1960) Cognitive, affective, and behavioral components of attitudes. In C. I. Hovland and M. J. Rosenberg (Eds.), Attitude organization and change, New Haven: Yale University Press.

Sallis, J.F. & Owen, N. (1999) Physical activity & behavior medicine. Cal: Thousand Oaks.

徳永幹雄・橋本公雄・坂井純子（1976）身体運動に対する態度の構造と運動の関係についての研究．九州大学体育学研究，**5 (4)**: 9-20.

Trost, T.G, Owen, N., Bauman, A., Sallis, J.F. & Brown, W. (2002) Correlates of adults' participation in physical activity: review and update. *Medicine & Science in Sport & Exercise*, **34**: 1996-2001.

堤俊彦（2004）第3章 身体活動・運動を規定する要因（決定因）．日本スポーツ心理学会編，最新スポーツ心理学―その軌跡と展望―．大修館書店．

第3章　運動継続化の螺旋モデルの構成概念と介入法

　前章で計画的行動理論を説明しましたが，各構成概念（予測・説明要因）を理解するのは容易ではなく，体育授業，市区町村の行政で開講している健康づくり教室，民間のフィットネスクラブなどにおける運動・スポーツの指導者の方々にとっては，この理論を実際に指導現場に適用することは少し難しいかもしれません。

　そこで，運動・スポーツの指導者にもわかりやすく，すぐにでも適用できるモデルを運動継続者の視点から，しかも内発的動機づけを高める要因で構成された「運動継続化の螺旋モデル」を構築しましたので，紹介したいと思います。

1節　運動継続化の螺旋モデルの構成概念

1．運動継続化の螺旋モデル

　計画的行動理論（Ajzen,1985）は行動を予測・説明する理論としてはきわめて優れていますが，この理論に用いられる「態度」「主観的規範」「行動の統制感」をどのようにして高めるかという方法論は提示されていません。よって，運動・スポーツの指導者は試行錯誤による経験則でこれらの変数の高め方を工夫していかなければなりませんので，やや適用しにくいかと思います。そこで，体育授業や健康・体力づくりの指導現場でも，理解しやすく適用しやすいモデルとして，図 3-1 に示す「運動継続化の螺旋モデル」を考案しました（橋本，1998; 2010）。

　この「運動継続化の螺旋モデル」は運動継続者の立場に立って考えられたもので，「快適経験」「目標設定」「結果の知識」「成功体験」の4つの内発的動機づけを高める心理的要因と「身体的資源」の身体的要因でもって構成されています。

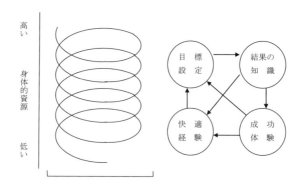

図 3-1.　運動継続化の螺旋モデル（橋本, 1998; 2010）

　したがって，このモデルは運動・スポーツを継続している人の運動行動が説明できますし，後述する行動変容技法や介入法も考慮されています。また，運動継続者の視点で考案されたモデルですので，皆さんがすでに用いている内容もあるかと思います。

　それでは，運動やスポーツ活動の継続に関し，モデルの各構成概念について具体的事例をあげて説明してみることにします。

1）快適経験
　まず，人が運動・スポーツを継続するためには，運動中の楽しさや面白さを感じ，運動後に爽快さ，達成感，満足感などのポジティブな感情を体験することが重要であることに異論はないと思います。この運動に伴うポジティブな感情体験を「快適経験」としています。よって，運動継続者はまずこの「快適経験」が基本になっていると考えてみました。ポジティブな感情の体験は，前章の計画的行動理論で説明した運動に対する態度（感情と評価）のなかの感情的成分を高め，「行動意図」を介して運動の促進と継続化につながることになります。また，「快適経験」は運動意欲（やる気）を喚起させますので，運動の継続に役立つことでしょう。

　ところで，自己効力感（自信）を高める資源の1つに生理的・情動的体験というものがあります（Bandula, 1977; 1986）が，運動・スポーツ活動に伴う「快適経験」はこの情動体験を意味しますので，運動継続に対する自己効力感を高

めることにもなります。

2) 目標設定

つぎに「目標設定」ですが，運動・スポーツ活動で「快適経験」を体験すれば，運動者は，このつぎは，いつ，どこで，だれと，どのようにして行うか，という計画を立てることになると思います。自ら立てた「目標設定」は物事に集中させ，内発的動機づけを高める重要な要因となります。人は運動やスポーツ活動を行うとき，必ず「今日は」とか，「つぎは」と考えるはずです。これが「目標設定」で，たとえば，健康・体力づくりの運動でしたら，筋力・持久力の強化，心肺機能の回復・向上，体重の減少などといった健康・体力の維持増進という目的があり，この目的をどのようにして達成するか，目標設定とはこの具体的内容を設定していくことを意味しています。スポーツ活動でしたら，運動技能の向上は重要ですので，運動者は技能を高めるために目標設定を行って練習を行っているかと思います。

しかし，目標は掲げるだけでは効果はありません。効果的な目標設定法には原則がありますので，3節で詳述することにします。

3) 結果の知識

つぎに，「結果の知識」ですが，明確な目標が設定されると，人はそれを達成しようと努力し，その努力の結果を確認すると思います。これが第3ステップの「結果の知識」といわれる情報のフィードバック（還元）であり，目標に対して努力した結果がどの程度まで達成できているかの情報を知ることです。これも内発的動機づけを高める要因で，努力した結果がわからなければやる気は起きません。

運動を行った結果がどのようになっているかは気になるもので，現状の結果をチェックすると目標の達成度がわかります。たとえ目標が達成していなくても，自ら設定した目標であれば，さらにやる気が増すことでしょう。運動の効果としては，運動技能，体力，体重，体型などの変化の客観的な数値もありますが，主観的に感じられる健康感や体力感もあります。これらの心理的な効果も運動の継続化には重要と思われ，運動継続者は測定をしていないにもかかわらず，「健康になった」とか「体力がついた」といっています。これらも「結果の知識」の1つといえます。

4）成功体験

　目標が達成されると，それは第4ステップの「成功体験」となります。目標の達成は喜びや満足感をもたらすとともに，さらなる運動意欲を高めることでしょう。この「成功体験」は内発的動機づけを高める要因ですが，自己効力感を高める最大の要因でもあります（Bandula,1977; 1986）。したがって，「成功体験」は運動・スポーツを促進させ，運動継続への自信を高めることになります。運動における「成功体験」には，ストレス解消などの主観的・心理的なものも含まれるでしょう。一方スポーツ活動では，運動技能の達成や試合での勝利などが考えられます。「成功体験」が得られなかったときは，再度「目標設定」を見直すことにもなりますが，「成功体験」を感じれば当然「快適経験」につながりますので，各要因が循環することになります。

5）身体的資源

　運動の継続によって必ず身体的側面（運動者の運動技能，体力，健康度など）は強化され，向上しますが，これらの身体的要素を「身体的資源」としています。前述した心理的要因に「身体的資源」を追加した理由は，運動を継続することによって当初の4つの心理的要因は影響を受けると考えたからです。よって，この「身体的資源」の向上は4つの心理的要因の質的な転換を促すことでしょう。「快適経験」の喜びや楽しさの質や目標設定の内容が変わり，結果の知識の捉え方や成功の意味などの変化が生じるものと思われます。

　たとえば，運動を継続している運動技能の高い熟練者と初心者を比較してみますと，4つの要因の意味は異なってきます。熟練者は単なる運動・スポーツをすることや勝ち負けの楽しさから自己の可能性を拓く楽しさへと変わり，目標設定も一般的なものから具体的なものとなり，結果の捉え方も質的側面を考えたり，成功も大きな成果だけでなくささやかなうまくいったことへの気づきなども重視したりと，4つの要因の質が変わることでしょう。

　このように，運動・スポーツを継続している人は，「快適経験」→「目標設定」→「結果の知識」→「成功体験」という一連の流れのなかで運動を実施しており，「運動継続化の螺旋モデル」は，これらの4つの心理的要因を行きつ戻りつしながら，「身体的資源」の確実な向上とともに心理的要因の質的な転換が生じ，螺旋的により高次なもの（図3-1, 左側）になると仮定しているわけです。

２．健康スポーツ継続者の４つの構成概念に対する回答率

　ここで，健康スポーツを行っている成人男女 89 名を対象とした調査データ（橋本，1998）から，前述した 4 つの要因の設問に対する回答の割合を図 3-2 でみてみたいと思います。

　運動後の「快適経験」の爽快感に関しては，ほとんどの人（97.7%）が肯定的回答であり，ポジティブな感情を経験していることがわかります。このことは「快適経験」が運動・スポーツの継続の基底部をなしていることを意味しています。つぎの「目標の設定」については，運動・スポーツをするときに明確な目標を設定しているかどうかを調べていますが，（明確な，漠然とした）目標を設定していた人は 54.5% と，「快適経験」と比較すると肯定的な回答は少

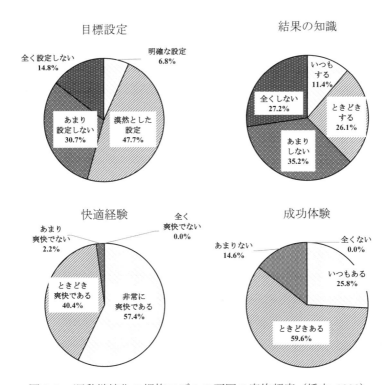

図 3-2.　運動継続化の螺旋モデルの要因の実施頻度（橋本，1998）

ないようです。しかし，半数以上の人は目標を設定して健康・スポーツを行っています。また，「結果の知識」に関しても運動後に何らかの方法で結果を自己チェックしている（いつもする，ときどきする）人は37.5％と，約4割弱であり，やや低い割合ですが，チェックしていることがわかります。チェックはしていなくても「うまくなった」「体力がついた」「健康になった」と主観的に実感している人は多いことでしょう。運動後の達成感・成就感を意味する「成功体験」では，成功体験があるという肯定的な回答率が85.4％であり，多くの人が運動後に「成功体験」を味わっています。

　以上に示したように，運動継続者は「快適経験」「目標設定」「結果の知識」「成功体験」に関し，大なり小なりに肯定的な回答をしており，特に「快適経験」と「成功体験」は高い回答率を示していることがわかります。つまり，健康スポーツの実施からポジティブな感情体験をし，成功体験により運動遂行に対する自信を高めているがゆえに運動を継続することができるということです。この過程のなかで，目標設定や結果の知識が有効に機能しているものと思われます。

2節　運動継続化の螺旋モデルの有効性の検証

　「運動継続化の螺旋モデル」は，運動実践者の視点に立って「なぜ人は運動を継続しているのだろうか」と考えたものですので，このモデルは検証する必要があります。そこで，計画的行動理論と比較してみることにしました。この理論はすでに第2章で述べましたように，「行動意図」が行動の決定因であり，この「行動意図」を「態度」「主観的規範」「行動の統制感」で，どの程度説明できるかで検証されます。

　そこで，「運動継続化の螺旋モデル」の検証も，「快適体験」「目標設定」「結果の知識」「成功体験」の心理的要因と「身体的資源」を含めた5つの構成概念で「行動意図」の説明力を調べ比較してみることにしました。理論・モデルの検証のための概念図は図3-3に示すとおりです。

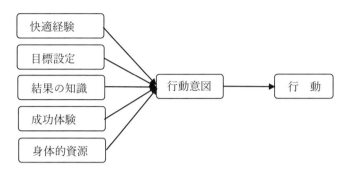

図 3-3. 運動継続化の螺旋モデルの検証法 (橋本、2010)

モデルの検証は重回帰分析という多変量解析法を用い，行動意図に対する説明力（R^2値）をみていくことになります。つまり，5 つの要因がどのくらいの割合で行動意図を説明しているかということです。計画的行動理論の構成概念の設問項目は下記に示すとおりです。

＜行動意図＞
　「行動意図」は，1 か月以内に少なくとも，週 3 回，1 回 20 分以上の運動・スポーツを行う意図の強さを測定しています。

＜運動行動に対する態度＞
　「運動行動に対する態度」は，運動やスポーツ活動をすることに対し，「苦しい－楽しい」「悪い－良い」など 8 項目の形容詞対を用いて，運動行動に対する感情的・評価的側面を調べました。

＜主観的規範＞
　「主観的規範」は，規範信念と他者の期待に従う動機づけによって説明されます。そこで，規範信念は運動・スポーツをすることに対する重要な他者の期待感を，そして他者の期待に従う動機づけは，その重要な他者の期待に応えたい動機づけを測定しました。重要な他者は家族，親友，周囲の人びとの 3 項目です。

＜行動の統制感＞

　「行動の統制感」は，週3回，20分以上の運動・スポーツに対する「自己決定」「易しさ―難しさ」「自信」「自己責任」の程度を4項目で測定しています。

　一方，運動継続の螺旋モデルに用いられる要因の測定項目は表3-2に示すとおりであり，「快適経験」「目標設定」「結果の知識」「成功体験」「身体的資源」の5つの要因とも，2項目ずつで測定しています。いずれも回答肢は，「1.まったくそうでない」と「4.いつもそうである」を両極とする4段階自己評定法を用いて測定し，得点化しています。ただし，身体的資源は体力への「自信がある－自信がない」と，運動・スポーツは「得意なほう－不得意なほう」をそれぞれ両極とする4段階法で測定しています。

表3-2．運動継続の螺旋モデルの測定項目

快適経験	1) 運動・スポーツ活動をした後は，楽しい気分になる。
	2) 運動・スポーツ活動をした後は，爽快な気分になる。
目標の設定	1) 運動・スポーツ活動をするときは，目標（時間，距離，勝敗など）を決めて行う。
	2) 運動・スポーツ活動をした後，次の目標を設定する。
結果の知識	1) 運動・スポーツ活動の結果について記録をつけている。
	2) 運動・スポーツ活動の効果を何らかの形で確かめる。
成功体験	1) 運動・スポーツ活動をした後は，「やったー」という達成感がある。
	2) 運動・スポーツ活動をした後は，満足感で満たされる。
身体的資源	1) あなたは，体力に自信がありますか。
	2) あなたは，運動やスポーツは得意なほうですか。

　計画的行動理論と運動継続化の螺旋モデルの「行動意図」に対する説明力の分析結果を表3-3に示しました。計画的行動理論による「行動意図」の説明力（R^2値）は，学生28.4%，社会人31.6%で，運動継続化の螺旋モデルの5つの要因による説明力は学生19.7%，社会人25.9%でした。運動継続化の螺旋モデルでの行動意図の説明力は，学生も社会人も計画的行動理論の説明力に比べると低いようです。しかし，この種の研究では，20%前後の説明力でも低いものでもありませんので，螺旋モデルは十分成り立つといえます。

表 3-3. 行動意図への階層的重回帰分析による説明力（R^2, %）

	計画的行動理論	運動継続化の螺旋モデル
学　生 (n=209)	28.4	19.7
社会人 (n=188)	31.6	25.9

第３節　運動継続化の螺旋モデルに基づく行動変容技法

　運動継続化のモデルの構成概念は，「快適経験」「目標設定」「結果の知識」「成功体験」「身体的資源」であり，それぞれは分かりやすいと思いますが，なによりもこれらの要因を高めるための行動変容技法や介入法が考えられることです。図 3-4 に各構成概念に対する行動変容技法を示しました。

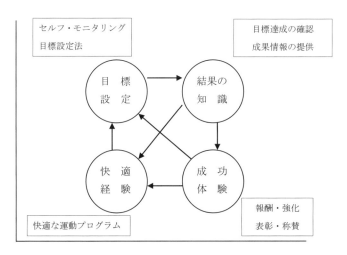

図 3-4. 運動継続化の螺旋モデルにおける行動変容技法

1.「快適経験」へのプログラム介入

　「快適経験」は運動の快適さ，心地よさを味わうことであり，運動中あるいは運動終了後に快感情が醸成されるように，運動プログラムを考えればよいことになります。ただし，運動プログラム自体は行動変容技法ではなく介入法の1つです。競技スポーツと異なり，健康・体力づくりのための運動では，苦痛感や疲労感を伴えば運動の継続は難しくなります。よって，楽しく，心地よさを体感させることが重要となり，1人で行う運動・スポーツも指導者のもとで行われる運動プログラムもポジティブな感情が得られるように内容を組み立てる必要があるでしょう。特に，1人で行う運動であれば快感情などのポジティブな感情を得ることが重要であり，そのために，ランニングやウォーキングにおける「快」を感じる運動強度の設定法として，第6章から第9章で「快適自己ペース（Comfortable Self-Established Pace: CSEP）」という主観的な運動強度の有効性について説明することとします。

　体育嫌いや運動嫌いは，後天的に学習されたものですので，成長過程あるいは学習過程において運動・スポーツに伴う「快適経験」が体験されていないか，ネガティブな体験がトラウマとなっているものと考えられます。よって，運動・スポーツの活動後には満足感や充実感が得られるようにプログラムを構成し，指導することは重要なこととなります。

2.「目標設定」における行動変容技法

　「目標設定」の行動変容技法としては，セルフ・モニタリング法や目標設定法が考えられます。「目標設定」は集中力と動機づけを高めるので，運動の継続化においてはきわめて重要であり，そのため効果的な目標設定法はスポーツ心理学の領域でも用いられています。たとえば，SMART は覚えやすい目標設定法といえます。SMART は，Specific（具体的な目標），Measurable（測定可能な目標），Achievable（自己責任で達成可能な目標），Realistic（現実的な目標），Time Bound（目標達成する期限の目標）の英語の頭文字からなっています（Doran, 1981）。運動・スポーツの指導では，短期・長期の目標設定の仕方は一般的なものではなく具体的なものであり，数値で表す必要があります。数値で示すことにより運動者も指導者も達成度が客観的にわかるからです。そして，自分の努力で達成可能なややチャレンジングな目標が必要で，現実を踏まえた

うえでの目標であり，それをいつまでに達成するかという内容となります。

　なお，運動者が何度試みても目標を達成できないときは，目標が高すぎる場合がありますので，一度目標を低く設定し，達成させ自信をつけさせることも重要なことです。

　これらの目標設定を確実に達成していくためには，行動変容技法の1つであるセルフ・モニタリング（運動日誌や記録表）を作成し，達成度をみながら適切なアドバイスを行っていくことです。なお，目標設定は目的を達成するために，スモールステップで段階的に達成していく必要があります（図3-5）。

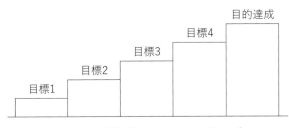

図 3-5.　目標設定のスモールステップ

3.「結果の知識」における行動変容技法

　「結果の知識」とは，具体的な変化や効果を運動者に認知させることです。私たちは運動するとき，その結果や効果を知りたくなりますので，その個人情報を的確にフィードバックすることで動機づけとなり，さらなる意欲が高まることになります。よって，運動・スポーツ指導者はさまざまな変化の客観的な数値情報を実施者にフィードバックし，アドバイスをしていくことです。このとき，前述したセルフ・モニタリングノート（運動日誌や記録表）を用いると，自分の変化が確認できますので役に立ちます。また，フィードバック情報としては，「疲れにくくなった」「健康状態が良くなった」という知覚は意欲を増すことになりますので，運動指導者は測定値だけに目を奪われることなく，参加者のさまざまな主観的な評価も聞いてあげることです。

4.「成功体験」における行動変容技法

　行動変容技法に報酬や罰の除去，表彰などがありますが，成功，達成したときこれらを用いることです。「成功体験」は個々人が自己設定した目標を達成すれば知覚されますが，指導者はその努力を称賛したり，激励をすることです。また，表彰や報酬といった外発的動機づけも効果的でしょう。自己報酬とは自分の努力の成果を確認し，達成できれば何らかの形で自分に報酬を与えることを考えておくことです。

　以上に述べましたように，運動継続化の螺旋モデルの構成概念（快適経験，目標設定，結果の知識，成功体験）は，行動変容技法や介入法を含んでいますので，体育教師や運動・スポーツの指導者にとって，運動者の継続を促すのに使いやすいと思います。これらの構成概念自体が内発的動機づけを高める要因ですので，運動の継続化にも有効で，さらに行動変容技法を用いることで，運動行動の促進・継続化を可能とすることでしょう。

文　献

Ajzen, I. (1985) From intension to actions: A theory of planned behavior: In J. Kuhl and J. Beckman (Eds.) Action-control: From cognition to behavior. Heidelberg, Germany: Springer, pp. 12-39.

Bandula, A. (1977) Self-efficacy: Toward a unifying theory of behavioral change. *Psychological Review*, **84 (2)**: 191-215.

Bandura, A. (1986) Social foundations of through and action: A social cognitive theory. Englewood Cliffs, N.J. Prentice-Hall.

Doran, G.T. (1981) There's a S.M.A.R.T. way to write management's goals and objectives. *Management Review,* **70**: 35-36.

橋本公雄 (1998) 健康スポーツの目標設定. 体育の科学, **48 (5)**, 381-384.

橋本公雄（2010）運動継続化の螺旋モデル構築の試み. 健康科学, **32**, 51-62.

第4章 運動に伴う感情変化とメカニズム

運動が気分，感情のほかさまざまな心理的側面にポジティブな影響をもたらすことが，これまでの研究で明らかにされてきました。健常者や非健常者（精神障害者を含む）を対象として，有酸素性運動（ランニングやウォーキングなど）や無酸素性運動（筋力トレーニングや柔軟運動など）を用いた短期的運動（一過性運動）と長期的運動で，運動による心理的効果が調べられています。その内容としては，①情緒的ウェルビーイング（状態—特性不安，ストレス，緊張，特性—状態の抑うつ，怒り，情緒混乱，活力，活気，ポジティブ感情，ネガティブ感情，楽観性），②自己知覚（自己効力感，自己価値，自尊感情，自己概念，ボディイメージ，身体的体力感，マスタリー感，統制感），③身体的ウェルビーイング（痛み，身体症状の知覚），④包括的な知覚（生活満足感，全体的ウェルビーイング）と多岐にわたります（Netz, et al., 2005）。ここでは，情緒的ウェルビーイングの不安と抑うつのネガティブ感情，加えてポジティブ感情に関する運動の効果を概観することとします。

1節　運動に伴う感情変化

感情は経験の情感的あるいは情緒的な面を表す総称，あるいは情動，もしくは主観的に体験された気分のこと，と定義されており（藤永，1992），情動や気分を含む概念をいいます。情動は一時的な強い感情状態であり，気分は比較的長く続く弱い感情状態であると区別されています。

感情状態にはポジティブ感情とネガティブ感情がありますが，ポジティブ感情としては，喜び，満足，楽しさ，興味，興奮，活気などがあり，ネガティブ感情としては，不安，抑うつ，怒り，嫌悪，恐怖，悲しみなどの感情があります。これらの感情はさまざまな刺激に対する心理的反応として現れ，外見行動として表出してくることになります。

ところで，心理学，臨床心理学，運動心理学で扱われるポジティブ感情とネ

ガティブ感情とでは意味合いが異なります。不安や抑うつなどのネガティブ感情は，健康状態，行動（日常生活行動を含む），パフォーマンスの発揮に負の影響を与えるため，元の状態に戻すという意味で「改善」や「対処」という視点で扱われます。戦後の心理学は主にこのネガティブ感情を研究の対象としてきましたが，この理由について，山﨑（2006）は先行研究に基づきネガティブ感情に比べてポジティブ感情は種類が少なく弁別が困難なこと，特徴的な表情や自律神経系の反応の弁別に特徴が少ないこと，特定行動の喚起を支える機能を備えていないことなどをあげています。また，ネガティブ感情の改善法として，カウンセリング法，自律訓練法，漸進的筋弛緩法などの多様な心理的技法が開発されてきました。

　一方，ポジティブ感情は，健康状態，行動，パフォーマンス発揮に正の影響を与えると推測されるため，さらなる「向上」という視点で扱われています。特に近年，ポジティブ心理学の運動が北米心理学会のセリグマン新会長（Seligman, M.）によって提唱され，ポジティブ感情に関する研究は検討すべき重要な課題の1つとしてあげられ，注目が集まっています。山﨑（2006）はポジティブ感情の恩恵（影響と機能）に関し，情報処理過程（注意，認知，記憶，期待），コーピング，対人関係，身体と健康に分けて，これらに対する肯定的な影響を述べ，今後の研究の進展に期待を寄せています。なお，ポジティブ感情とネガティブ感情の相関は低いようです。

1．不安

　不安には，一時的な情動状態としての状態不安と，比較的安定したパーソナリティ特性としての特性不安がありますが，これらの不安に対する運動の効果を明らかにした研究は膨大な数にのぼり，運動の不安低減効果が明らかにされてきました。そこで，いくつかの研究結果およびレビュー論文（多くの研究結果をまとめた研究論文）の結果をみてみましょう。

　図4-1の左図は，80％VO₂maxという高強度でのウォーキングとランニングを行ったときの状態不安の変化過程をみたものです（Morgan, et al., 1980）。運動時間の経過とともに状態不安は亢進していますが，運動が終了すると元に戻っていきます。また，右図は運動終了後に状態不安は減少し，回復期でさらに減少することが示されています。このように，運動の状態不安に関する研究では，中等度から高強度の運動を用いて不安を一時的に亢進させ，回復期に不安低減

効果がみられるという研究が多く報告されています。

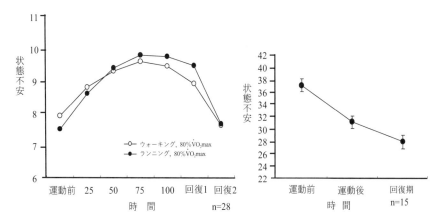

図 4-1. 運動に伴う状態不安の変化過程 （Morgan, et al., 1980）

　では，運動の不安低減効果に関するレビュー論文をみてみましょう．ペトラ
ツェロら（Petruzzello, et al., 1991）は，状態不安，特性不安，生理心理学的応
答の3つの不安について運動の不安低減効果を調べています。状態不安に関し
ては，全体的には効果は小さいようですが，短期的運動でも長期的運動でも不
安を低減する効果があり，運動時間では21～30分が状態不安の低減に大きな効
果をもたらすと述べています。一方，特性不安についても，全体的に効果は小
さいようですが，運動の不安低減効果がみられ，特性不安を変容させるには10
～12週間は継続する必要があり，16週間以上になるとより大きな効果が得られ
ることが明らかにされています。
　また，無作為化比較試験（RCT：Randomized Controlled Trials）というランダ
ムに対象者を実験群と非実験群に分けた研究だけでみますと，大きな効果を示
すことが報告されています。この種の研究では，RCTによる研究方法は非常に
重要なのですが，初期の研究ではこの研究法を用いた実験は少ないようです。
　そこで，ウィプフライら（Wipfli, et al., 2008）は RCT の実験法を用いた 49 編
の研究論文を調べた結果，運動群の不安低減は中等度の効果があり，他の治療
群と比較して効果は大きいことを明らかにしています。また，運動頻度では週

3〜4回が他の運動頻度より効果があり，運動時間では60分以上で大きな効果があることが見い出されています。興味深いことは，運動量と効果量の関係は直線的ではなく，二次曲線となることを明らかにしていることから，運動を多くすればよいということではなさそうです。

不安障害者を対象にした運動の不安低減効果のレビュー論文も散見されます。ヒーリングら（Herring, et al., 2010）は1995年から2007年までの40編の論文を調べ，全体的な効果は低いようですが，運動の不安低減効果を明らかにしています。運動実施期間では3〜12週間で大きな効果がみられ，運動時間では30分以上が効果は大きいことを明らかにしています。また，デボアら（DeBoer, et al., 2012）は不安障害者を対象とした調査研究と，非臨床的不安者や臨床的不安障害者を対象とした介入研究から，すべての研究で一貫して運動の不安低減効果がみられると述べています。

このように，運動の不安に対する低減効果は健常者や非健常者でもみられていますが，効果は中等度以下であり，運動時間や頻度を適切に行えば効果は得られるようです。運動強度は低い場合は効果がなく，中等度以上が求められています。

2．抑うつ

抑うつは近年増加傾向にあり，現代社会における大きな健康問題の 1 つとなっています。抑うつとは，気分が落ち込んで何にもする気になれない，ゆううつな気分の状態をいいますが，短期的・長期的な過剰なストレスがかかったときに現れる情動状態であり，抑うつになりやすい特性もあります。

抑うつに対する運動の効果を調べた研究は不安研究より古い歴史がありますが，本格的な研究が行われ始めたのは，不安低減効果の研究同様 1970 年代に入ってからです。ノースら（Nort, et al., 1990）は 1969 年から 1989 年に刊行された 80 編の研究を調べた結果，抑うつへの運動の効果は中等度であり，抑うつ者も健常者も運動の効果はみられていますが，抑うつ患者により大きな効果があることが指摘されています。また，短期的（一過性）運動も長期的運動も臨床的に抑うつを有する人の場合でも軽減することが見い出されています。このように運動の抗うつ効果は，初期のレビュー論文では観察研究や統制群のない研究が多いなかで認められています

クラフトとランダース（Craft & Landers, 1998）は抑うつ障害者と他の精神疾

患に伴う抑うつ症状を有する者を対象とした30編の論文を用いて臨床的抑うつに対する運動の効果を調べています。その結果，全体的にやや高い運動の効果が見い出されています。また，事前の抑うつのレベルが低度より中等度から重度の者に，運動の種類（有酸素性運動と無酸素性運動）に関係なく運動の効果が得られることが明らかにされ，実施期間では，9〜12週間に運動の効果があることが指摘されています。しかしこのレビューには，観察研究と非 RCTでの研究が含まれています。そこで，抑うつ患者を対象にした RCT の研究手法を用いた14編の論文だけで調べたところ，運動介入群は非介入群に比べてより大きな効果が得られています（Lawlor & Hopker, 2001）。

ディリー（Daley, 2008）は1990年から2007年までに公表された抑うつへの運動の効果を調べた結果，初期の報告では，抑うつへの運動の効果は中等度から大きな効果があるとされています。運動は抑うつに対し非運動よりは効果があり，抑うつ治療と同等の効果があるとのことです。ここでは，方法論的な質の問題などがあることが指摘されており，他の治療法と併用して適正な運動を用いることが推奨されています。このように抑うつに対する運動の効果は大きく，低強度の運動でも効果が認められています。

以上に述べましたように，不安と抑うつに対する運動の効果が認められることから，国際スポーツ心理学会（ISSP, 1992）では，運動の心理的効果に関し，不安，抑うつ，ストレス，さまざまな情動反応に効果があるという，表4-1に示すような提言が公表されています。

表 4-1.　運動の心理的効果（ISSP, 1992）

1. 状態不安を低減させる
2. 軽度から中等度の抑うつレベルを低減させる
3. 神経症や不安症を低減させる（長期的運動において）
4. 重度の抑うつ病患者の専門的治療の補助となる
5. さまざまなストレス指標の低減をもたらす
6. 性，年代を問わず情緒的な効果をもたらす

３．ポジティブ感情

　21 世紀に入り，北米を中心として心理学の分野でポジティブ心理学運動が提唱されてきました。ポジティブ心理学とは「精神病理や障害に焦点を絞るのではなく，楽観主義やポジティブな人間の機能を強調する心理学の取り組み」であり， 21 世紀の心理学の方向性として提唱されたものです（Seligman & Csikszentmihalyi, 2000）が，ポジティブ心理学では，ポジティブ感情に関する研究は主要な研究課題の１つとなっています。ポジティブ感情は仕事や人間関係をうまく遂行していくことと関係しており，身体的・心理的な健康に関連するウェルビーイングの一要素としてみなされているのです（Reed & Buck, 2009）。

　運動心理学の領域においても，ポジティブ心理学の影響を受けて，運動に伴うポジティブ感情の変化に関心が寄せられています。リードとワンズ（Reed & Ones, 2006）はポジティブ感情における一過性の有酸素性運動の効果に関する研究を調べ，運動終了直後にポジティブ感情は増加し，30 分以上は続くことを明らかにしています。特に，低強度，35 分以内の運動，低度から中等度の運動量（強度×時間），運動前の低いポジティブ感情で効果がみられると報告しています。また，リードとバック（Reed & Buck, 2009）は，長期的な有酸素性運動のポジティブ感情に及ぼす影響に関する研究を調べ，有酸素性運動はポジティブ感情の肯定的な増加をもたらすことを明らかにするとともに，ポジティブ感情の向上のための最適な運動様式の組み合わせとして，１回 30〜35 分の低強度運動を週 3〜5 日，10〜12 週間実施することを提案しています。

４．運動に伴う感情変化のメカニズム

　以上，不安，抑うつ，ポジティブ感情に関する運動の心理的効果について概観してきましたが，運動に伴う感情の変化に関するメカニズムはまだ明らかにはされていません。ただ，運動後の不安や抑うつなどのネガティブ感情の低減（改善）効果に関する仮説としては，生物学的仮説と心理学的仮説が提示されています (Petruzzello, et al., 1991; Morgan, 1985）。

　生物学的仮説としては，脳内の「快」をもたらすホルモンの変化から説明する「モノアミン仮説」や「エンドルフィン仮説」，運動に伴う体温上昇による「温熱仮説」，右脳と左脳の活性化の相違から説明する「大脳機能側性仮説」，

そして高強度の運動刺激によるネガティブ感情（不安感）の上昇が，終了後に逆の感情（リラックス感）を引き起こすという「相反過程仮説」などがあります。

　一方，心理学的仮説としては，不安や抑うつが運動によって低下するのは，運動終了後に達成感や成就感が得られるからという「マスタリー仮説」，運動すること自体が楽しいからという「活動の楽しみ仮説」，運動の効果や恩恵が得られると認知しているからという「心理的恩恵期待仮説」，さらには運動をすること自体がストレスフルな状況から解放されるからという「気晴らし仮説」などが主張されています。なかでも「気晴らし仮説」は妥当なメカニズムとしてみなされています。

　たとえば，図4-2に示しているバークとモーガン（Bahke & Morgan, 1978）の研究結果をみてみましょう。この実験は，無作為に75名の成人男性を運動群，瞑想群，コントロール群（気晴らし群）に分け，20分間の処方が行われ，状態不安の変化を調べたものです。

　運動群は70%運動強度でのウォーキングであり，瞑想法はリラクセーションが行われています。運動群と瞑想群は不安状態が減少し，椅子に座っていただけのコントロール群は何もしていませんので，状態不安は変化しないと仮説

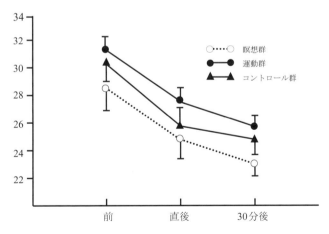

図4-2. 運動に伴う不安感情の変化過程 (Bahke & Morgan,1978)

されたわけですが，コントロール群も他の処方と同様に運動後に不安は低下してしまいました。そこで，運動に伴う状態不安の減少は，運動そのものによる効果ではなく，運動を行うという一時的なストレスフルな状況から解放されることによって生じるものであると解釈し，気晴らし効果として説明されているわけです。

2節　運動に伴う感情研究の今後の課題

　以上，運動に伴う不安や抑うつ感情の変化を説明する生物学的仮説と心理学的仮説を説明しましたが，決定的なものはなく，恐らくこれらのいくつかの要因が複合しているものと考えられます。運動に伴う感情の変化のメカニズムとして，相反過程仮説や温熱仮説，あるいは大脳機能側性仮説などは，運動後のネガティブな感情の測定だけでなく，快感情やリラックス感などのポジティブな感情を測定することによって検証できるかもしれません。しかし，モノアミンやβ－エンドルフィンなどはラットなどの小動物を用いて脳内の濃度を測定していますので，人を対象としてそのような実験をすることはできず，現在はこれらの代謝物質の血中濃度を測定し，運動に伴う不安の変化との関係を調べ説明しているにすぎません。これらの物質で運動後の感情の変化を説明するまでには，かなりの時間を要することでしょう。

　また，運動に伴う達成感，活動の楽しみ，気晴らしなどは経験的に理解されやすいのですが，快感情やリラックス感などのポジティブな感情の増加や不安感情の減少が運動中から生じます（橋本ら，1996）ので，これらの仮説で運動に伴うネガティブ感情の変化を説明するのは難しいと思います。やはり，運動という刺激によって感情変化が生じるものと考えられます。さらには，心理的恩恵期待仮説における感情の変化に及ぼす要因の 1 つではあると思われますが，ジョギングが嫌いな人でも運動後に有意なポジティブな感情（爽快感と満足感）の増加がみられています（橋本ら，1993）。よって，心理的恩恵期待仮説も運動と不安や抑うつなどのネガティブ感情の変化の因果関係は成立しないかもしれません。

　以上に解説しましたように，これまで多くの仮説が提示されていますが，測

定指標間にも問題があるように思われます。それはこれらの仮説の多くが，運動後の状態不安や抑うつの減少に対して生理・心理学的なポジティブな指標を用いて説明しているからです．つまり，感情変化を促す原因（主にポジティブな生理・心理学的指標）と結果（不安や抑うつの減少）を測定する指標間に齟齬がみられるわけです。これはリラックスと不安，快と抑うつが対応して変化する（Nowlis, & Greenberg, 1979）ことを前提とし，研究自体が運動とネガティブな感情の変化に焦点を当ててきたためと思われます。

　なぜ，運動によって感情の変化（ポジティブな感情の増加とネガティブな感情の減少）がみられるのか。そのメカニズムの解明は重要です。したがって，今後の課題としては感情のネガティブな側面だけでなく，ポジティブな側面をも同時に測定し，提示されている仮説を再検討する必要があるように思われます。また，運動に伴う気分や感情の一過性の変化と長期的変化は異なるメカニズムかもしれません。さらには，一過性のポジティブな感情の増加とメンタルヘルスの改善との関係も明らかにされていません。このように，運動と感情変化のメカニズム研究は，今後の成果が俟たれます。

　以上に示しましたように，運動に伴う感情効果はさまざまな側面で明らかにされていますが，これらの運動の心理的恩恵を受けるのは運動を継続している人だけです。つまり，運動の継続がなされなければ，さまざまな心理的効果が明らかにされたとしても研究の意義は半減します。よって，今後の研究では，情緒的ウェルビーイングのなかのポジティブ感情をもっと調べていく必要があります。なぜなら不安や抑うつなどのネガティブ感情の軽減・改善がなされたとしても運動の継続には寄与しないかもしれないからで，ポジティブ感情の増加は運動の継続と関連する可能性が高いからです。

　また，多くの研究が個々人の体力レベルを基準とした相対的運動強度（$\%\dot{V}O_2max$）を用いていますが，この強度で運動の効果が明らかにされてもその運動強度を継続するとはかぎりません。運動後にポジティブ感情が醸成される自己選択的な主観的な運動強度（好みの運動強度：Dishman, et al., 1994 ; 快適自己ペース：橋本ら, 1993; 2015）を用いた研究を行う必要があるでしょう。この理由は，指定された運動プログラムより自己選択のプログラムのほうが運動教室への参加率は高いからです（Thonpson & Wankel, 1980）。

　このように，今後の運動心理学研究は運動の効果だけに目を向けるのではなく，運動の継続という視点をもって効果をみていくことが重要と思われます。この意味で，運動に伴う心理的ウェルビーイングの改善・向上効果の研究では，

さまざまな切り口があり，今後のさらなる研究の発展が俟たれます。

　この点に関しては，次章から運動後のポジティブ感情の最大化と運動継続化を意図して考案された「快適自己ペース（Comfortable Self-Established Pace: CSEP）」という自己選択・自己決定的な主観的な運動強度の有効性について実証的研究を踏まえて述べていきたいと思います。

文　献

Bahrk, M.S. & Morgan, W.P. (1978) Anxiety reduction following exercise and meditation. *Cognitive Therapy and Research,* **2 (4)**: 323-333.

Craft, L.L. & Landers, D.L. (1998) The effect of exercise on clinical depression and depression resulting from mental illness: A meta-analysis. *Journal of Sport & Exercise Psychology,* **20**: 339-357.

Daley, A. (2008) Exercise and depression: A review of reviews. *Journal of Clinical Psychology in Medical Settings,* **15**: 140-147.

Dishman, R.K., Farouhar, R.F., & Cureton, K.J. (1994) Responses to preferred intensities of exertion in men differing in activity levels. *Medicine and Science in Sport and Exercise,* **26**: 783-790.

DeBoer, L.B., Powers, M.B., Utschig, A.C., Otto, M.W. & Smits, J.A.J. (2012) Exploring exercise as an avenue for the treatment of anxiety disorders. *Expert Rev. Neurother,* **12 (8)**: 1011-1022.

藤永　保 (1992)　新版心理学事典. 平凡社.

橋本公雄・徳永幹雄・高柳茂美・斉藤篤司・磯貝浩久 (1993) 快適自己ペース走による感情の変化に影響する要因－ジョギングの好き嫌いについて－. スポーツ心理学研究, **20 (1)**: 5-12.

橋本公雄・斎藤篤司（2015）運動継続化の心理学—快適自己ペースとポジティブ感情—. 福村出版.

Herring, M.P., O'Connor, P.J., & Dishman, R.K. (2010) The effect of exercise training on anxiety symptoms among patients: A systematic review. *Arch. Intern. Med.,* **170 (4)**: 321-331.

International Society of Sport Psychology (1992) Physical activity and psychological benefits: A position statement. *International Journal of Sport Psychology*, **23**: 86-90.

Lawlor, D.A. & Hopker, S.W. (2001) The effectiveness of exercise as an intervention in the management of depression: systematic review and meta-regression analysis of randomised controlled trials. *BMJ*, **322**: 1-8.

Morgan, W.P., Horstman, D.H., Cymerman, A. & Stokes, J. (1980) Exercise as a relaxation technique. *Primary Cardiology*, **6**: 48-57.

Morgan, W.P. (1985) Affective beneficence of vigorous physical activity. *Medicine and Science in Sport & Exercise*, **17 (1)**: 94-100.

Netz, Y., Wu, M.-J. Becker, B.J. and Tenenbaum, G. (2005) Physical activity and psychological well-being in advanced age: A meta-analysis of intervention studies. *Psychology and Aging*, **20 (2)**: 272-284.

North, T.C., McCullagh, P. & Tran, Z.V. (1990) Effect of exercise on depression. *Exercise Sport Science Review*, **18**: 379-415.

Nowlis, D. P. & Greenberg, N. (1979) Empirical description of effects of exercise on mood. *Perceptual and Motor Skills*. **49**: 1001-1002.

Petruzzello, S.J., Landers, D.M., Hatfield, B.D., Kubitz, K.A., & Salazar, W. (1991) A meta-analysis on the anxiety-reducing effects of acute and chronic exercise: Outcomes and mechanisms. *Sports Medicine*, **11 (3)**: 143-182.

Reed, J. & Ones, D. (2006) The effect of acute aerobic exercise on positive-activated affect: A meta-analysis. *Psychology of Sport and Exercise*, **7**: 477-514.

Reed, J. & Buck, S. (2009) The effect of regular aerobic exercise on positive-activated affect: A meta-analysis. *Psychology of Sport and Exercise*, **10**: 581-594.

Seligman, M.E.P. & Csikszentmihalyi, M. (2000) Positive psychology: An introduction. *American Psychologist*, **55**: 5-14.

Thompson, C.E. & Wankel, L.M. (1980) The effect of perceived activity choice upon frequency of exercise behavior. *Journal of Applied Social Psychology*, **10 (3)**: 436-443.

Wipfli, B.M., Rethorst, C.D., & Landers, D.M.（2008）The anxiolytic effects of exercise: A meta-analysis of randomized trials and dose-response analysis, *Journal of Sport & Exercise Psychology*, **30**: 392-410.

山崎勝之（2006）ポジティブ感情の役割—その現象と機序—. パーソナリティ研究. 14 (3): 305-321.

第5章　ポジティブ感情とメンタルヘルスの
測定尺度

　第4章では，不安や抑うつなどのネガティブ感情に対する運動の効果をみて
きましたが，運動の継続化のためには，ポジティブ感情を醸成することが重要
であることはすでに述べてきました。しかし 1990 年代までは，運動の不安低
減効果や抗うつ効果を調べる研究が主流でしたので，ポジティブ感情を測定す
る尺度が見当たりませんでした。そこで，一過性運動に伴うポジティブ感情を
測定する尺度（MCL: Mood Check List）と長期的運動に伴うメンタルヘルスを
測定する精神的健康診断検査（MHP: Mental Health Pattern）を開発することに
しました。ここでは，運動心理学の研究領域でよく用いられてきた一般的な感
情尺度とメンタルヘスス尺度を合わせて紹介することとします。

1節　感情尺度

1．運動・スポーツにおける感情の扱われ方

　運動・スポーツ心理学における感情は，端的にいえば運動やスポーツ行動の
"はじめ"（行動の規定要因としての感情），"なか"（パフォーマンス発揮要因と
しての感情），"おわり"（運動の心理的効果としての感情）に関する研究とし
て扱われています。
　まず，"はじめ"の運動行動の規定要因としての感情は，すでに第2章で述べ
た態度研究にみられ，認知，感情，行為傾向の態度の三成分構造のうちの感情
的成分として扱われています。態度研究の歴史は古く，行動の先行要因として
位置づけられてきました。運動・スポーツ心理学の分野でも同様であり，運動・
スポーツに対する態度と行動の関係，態度変容の規定要因などの研究が行われ
ています。しかし，社会心理学の分野での研究が進むにつれ，態度と行動の非

一貫性（落差・ずれ）の問題が指摘されるようになり，その後，態度研究は合理的行為理論（Fishbein & Ajzen, 1975）を経て計画的行動理論（Ajzen, 1985）へと発展し，現在でも感情は行動に対する態度として重要な構成要因の1つとなっています。

　つぎの，"なか"のパフォーマンス発揮要因としての感情ですが，スポーツ心理学者のマーテンズ（Martens, 1977）に端を発する競技不安の研究にみられます。スポーツパフォーマンスを乱す最大の要因は競技場面で晒されるさまざまなストレッサーですが，不安感情はその情動的反応として現れる感情の1つです。マーテンズ（Martens, 1977）はスポーツ競技特有の不安を調べることで，競技パフォーマンスがより明確に予測できるとし，競技特有の特性不安尺度（SCAT: Sport Competition Anxiety Test）と状態不安尺度（CSAI-2: Competitive Sport Anxiety Inventory）を開発し，特性不安と状態不安の関係，状態不安とパフォーマンスの関係，状態不安のマネジメント法などの研究が行われてきました。また，不安感情のマネジメント法はパフォーマンス発揮にかかわる心理状態を作るためのメンタルトレーニングの1つの方法として用いられています。

　最後の，"おわり"の運動の心理的効果としての感情に関しては，これまで主に不安や抑うつの改善効果が明らかにされ，その研究成果については，すでに前章で説明しているとおりです。これからは，運動の継続化を視野に入れて運動に伴うポジティブ感情の変化に関する研究を進めていく必要があるでしょう。

　このように，感情はスポーツ心理学や運動心理学などの学問分野でも，重要な概念の1つであり，現在も研究が続けられています。

2．運動心理学研究で用いられる感情尺度

1）一般的な感情尺度

　感情には，特性と状態としての感情があり，これらは心理的尺度を用いて測定されます。特性としての感情には特性不安や自尊感情などの尺度がありますが，ここでは，状態としての感情尺度について述べることとします。

　運動心理学の研究領域では，不安尺度としてはスピルバーガーら（Spielberger, et al, 1970）が開発した各20項目からなる「状態—特性不安尺度」が用いられ，

抑うつ尺度としては, ベックら（Beck, et al, 1961）の「ベック抑うつ尺度」やツング（Zung, 1965）の「抑うつ自己評価尺度」が用いられています。また, メンタルヘルスの状態を調べるものとして, マックナイヤーら（MacNaire, et al., 1971）が作成した「気分尺度（POMS: Profiles of Mood State)」はよく知られ, 日本語版（横山・荒記, 1994）も作成され, 使用されています。POMS は「不安」「抑うつ」「怒り」「活気」「疲労」「情緒混乱」の 6 つの下位尺度から構成されており, 図 5-1 に示すように, 活気を頂点とする iceberg（氷山型）のプロフィールを示すことが, メンタルヘルスはよい状態となります。

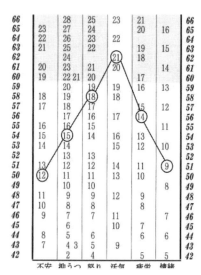

図 5-1. POMS のプロフィール

　さらには, ワトソンら（Watson, Clark, & Tellegen, 1988）が作成したネガティブ感情だけでなく, ポジティブ感情をも測定する 20 項目の形容詞対からなる「ポジティブ・ネガティブ感情スケジュール（PANAS: Positive Affect Negative Affect Schedule)」などもよく用いられています。

　運動心理学の分野でも, レジェスキーら（Rejeski, et al., 1987）が感情の中核が「良い－悪い」であることから, 「良い－悪い」を両極とする 11 段階の感情尺度（FS: Feeling Scale）を作成しています。この尺度は単一項目ですので, 運動中の感情状態が簡単に測定できます。

2) 運動特有の感情尺度

　前述したような一般的な感情状態を測定する尺度が開発され, これらを用いて運動に伴う感情やメンタルヘルスの変化が調べられてきました。しかし, 運動によって特有の感情状態が生じることから, 運動に特化した感情尺度も開発されています。一般的感情を測定する尺度より運動という特定状況での感情状態を測定する尺度のほうが, 運動の感情に及ぼす影響をより明確に明らかにできると考えられるためです。

ゴゥビンとレジェスキー（Gauvin & Rejeski, 1993）は，一過性の運動中の感情状態を測定するため，「高揚感」「再活性化」「落ち着き感」「身体的疲労」の4因子，12項目の形容詞からなる「運動誘発感覚尺度」を開発し，さらにレジェスキーら（Rejeski, et al., 1999）は，長期的運動による感情状態を測定するめ，「運動誘発感覚尺度」の設問と回答カテゴリーを変更し，「快感情」と「不快感情」の2因子からなる尺度を作成しています。

　わが国においても感情を測定する尺度はいくつか開発されており，荒井ら（2004）は運動中の感情を測定する，「否定的感情」「高揚感」「落ち着き感」の3因子，12項目の形容詞対からなる「WASEDA（Waseda Affect Scale of Exercise and Durable Activity）」を作成し，坂入ら（2003）も覚醒度と快適度を測定する「二次元気分尺度」を作成しています。しかし，これらの感情尺度作成に先駆けて，一過性運動に伴うポジティブ感情を測定するための尺度（MCL: Mood Check List）が作成されています（橋本・徳永, 1995, 1996; 橋本・村上, 2011）ので，「MCL-3感情尺度」と短縮版の「MCL-S.2感情尺度」を解説します。

3．運動用ポジティブ感情尺度の開発

1）　MCL-3感情尺度の理論的背景
　感情をどのように捉え，測定するかは重要なことです。たとえば，運動やスポーツを行ったあと，爽快な気分になったり，楽しい気分になったり，心地よい気分になったりしますので，運動は感情の「快－不快」の側面と深くかかわっていることが推察されます。しかし，「快－不快」は感情の1つの側面であり，運動が感情のどの側面に影響を与えるかを明らかにするためには，感情を多次元的に測定し分析する必要があります。

　そこで，まず運動によって生じる特有の感情尺度（MCL: Mood Check List）を作成するために，九鬼（1981）の感情の三次元構造論（「快－不快」「緊張－弛緩」「興奮－沈静」）に基づき尺度開発を進めました。この理由は，運動・スポーツ活動を行っている方はわかるかと思いますが，運動のあとに爽快感やリラックス感，あるいは気分の活性化などが得られますので，九鬼（1981）が提示する3つの感情の内容が，運動に伴うポジティブ感情の変化を調べるのに最もふさわしいと考えられたからです。

　しかし，感情尺度を作成する過程で，「緊張－弛緩」と「興奮－沈静」の下位尺度の区分がうまくいかず，最終的に作成された尺度は，「快感情」「リラ

ックス感」「満足感」と命名される 3 因子, 23 項目の形容詞対からなる「MCL-3 感情尺度」となり（橋本・徳永, 1995）, 表 5-1 に示しています。尺度の回答カテゴリーは 7 段階評定尺度法（非常に, かなり, やや, どちらともいえない）です。-3 点から+3 点の範囲で得点化され, 下位尺度得点は正の値がポジティブな感情状態を意味します。

表 5-1. MCL-3 感情尺度

1. 楽しい	— 苦しい	13. はつらつした	— 意気消沈した
2. すっきりした	— もやもやした	14. 伸び伸びした	— 委縮した
3. 愉快な	— 不愉快な	15. 機嫌がわるい	— 機嫌がよい
4. 落ち着いた	— いらいらした	16. 穏やかな	— 腹立たしい
5. 頭が冴えた	— ぼーっとした	17. 嬉しい	— 悲しい
6. 生き生きした	— 無気力な	18. 気力充実した	— 気が滅入った
7. リラックスした	— 緊張した	19. 軽快な気分	— 重々しい
8. 満足な	— 不満足な	20. 気が晴れた	— 気がふさいだ
9. 爽快な	— 憂うつな	21. くつろいだ	— 気が張った
10. 浮き浮きした	— 沈んだ	22. 上機嫌な	— 不機嫌な
11. 明るい	— 暗い	23. 幸せな	— 不幸せな
12. ゆったりした	— せかせかした		

注）項目15と22はチェック項目で, 項目15は使用しない。
　　快感情：1,2,3,5,6,9,10,11,13,14,18,19,20,22
　　リラックス感：4,7,12,16,21
　　満足感：8,17,23

2) 短縮版の MCL-S.2 感情尺度

　「MCL-3 感情尺度」は 23 項目で作成されましたが, 運動中の感情状態を測定するには項目数が多すぎます。そこで, 運動中の感情状態をも測定するため, 改めて「快感情」「リラックス感」「不安感」の 3 因子, 12 項目で構成される短縮版の「MCL-S.2 (Short form-2) 感情尺度」を作成しました（橋本・村上, 2011）。「MCL-S.2 感情作度」は形容詞対ではなく, 動詞句を用いて作成し, 回答カテゴリーも「まったくそうでない－まったくそうである」を両極とする 7 段階法としました（表 5-2）。不安感を下位尺度として挿入したのは, 高強度の運動では「不安感」が増加しますので, 運動強度が適正であったかどうかを調べるためです。しかし, 「不安感」の低下は「自信」の増加を意味することになるで

しょう。「MCL-S.2 感情尺度」は感度がよく，運動に伴う感情状態がよく反映されます。

表 5-2.　MCL-S.2 感情尺度

	まったくそうでない	そうでない	ややそうでない	どちらともいえない	ややそうである	そうである	非常にそうである
1　生き生きしている	-3	-2	-1	0	1	2	3
2　リラックスしている	-3	-2	-1	0	1	2	3
3　不安である	-3	-2	-1	0	1	2	3
4　爽快な気分である	-3	-2	-1	0	1	2	3
5　ゆったりしている	-3	-2	-1	0	1	2	3
6　思いわずらっている	-3	-2	-1	0	1	2	3
7　はつらつしている	-3	-2	-1	0	1	2	3
8　落ちついている	-3	-2	-1	0	1	2	3
9　くよくよしている	-3	-2	-1	0	1	2	3
10　すっきりしている	-3	-2	-1	0	1	2	3
11　穏やかな気分である	-3	-2	-1	0	1	2	3
12　心配である	-3	-2	-1	0	1	2	3

2節　精神的健康パターン診断検査の開発

　変化した感情は時間の経過とともに元に戻るという性質をもっています。よって，長期的運動のメンタルヘルスの変化を調べるには，MCL-3 や MCL-S.2 の感情尺度は適しません。そこで新たに，「ストレス度」と「生きがい度」からなる精神的健康パターン診断検査票（MHP: Mental Health Pattern）を開発しました。

１．ストレスの捉え方

　精神的に問題を有する人やストレスが溜っている人の心理状態は，その人の

表情，振る舞い，行動をみればある程度わかります。しかし，心理学や精神医学の分野では，これらの心理状態をより客観的に評価・診断するため，いくつかの質問項目からなる尺度を用います。メンタルヘルスを測定する尺度としては，一般的健康尺度（GHQ: General Health Questionnaire）やCMI（Conel Medical Index）はよく知られ，邦訳版（GHQ: 中川・大坊，CMI: 金久・深町）もありますので，研究や臨床の現場で活用されています。前述したPOMS尺度もメンタルヘルスを測定する尺度として広く用いられています。これらの尺度はネガティブな気分，感情，あるいは精神的症状などを尋ねる項目を用いてメンタルヘルスの状態を捉えようとするものですが，情緒障害がないか，あるいは低い状態であれば，精神的に健康であるとみなされます。

　ところで，ストレス尺度もメンタルヘルスを測定する尺度として開発されています。ストレス（ストレッサー）はさまざまな心身の反応を伴い，疾病の発症とも関連しますので，ストレスはないほうがよいと考えられています。反応としてのストレス（ストレス反応）は古くから生理心理学的に研究されているもので，生理学的指標（脳波，心拍，血圧，筋電位，皮膚電気抵抗など）や質問紙法を用いて測定・評価されています。これらの測定指標もストレス反応の有無や高低を調べているだけです。

　しかし，日常生活を考えてみますと，ストレス（反応）を溜めず生き生きとした生活を送っている人もいれば，なんとなくだらだらとした生活を過ごしている人もいます。その一方で，ストレスが溜っていても意欲的に頑張っている人もいれば，やる気が失せている人もいます。つまり，ストレスが溜っているか否かだけでは，これらの人びとのメンタルヘルスの状態を区別することはできません。セリエ（Selye, 1975）はストレス研究のパイオニアで，「ストレスは人生にとって彩りを添えるスパイスのようなもの」といっていますように，生活あるいは人生において適度なストレス（ユーストレス，快ストレス）は人間の成長・発達，あるいは充実した日常生活を送るのに必要不可欠なものです。しかし，このような適度なストレス状態（快ストレス）を測る尺度は見当たりません。

２．精神的健康パターンと尺度

1）メンタルヘルスのパターン化

ストレス反応を用いて「快ストレス（ユーストレス）」状態を測る尺度を開発するために，メンタルヘルスの状態を「ストレス度（Stress Check List：SCL）」と「生きがい度（Qualityof Life：QOL）」という2つの次元から捉え，パターン化してみることにしました。ここでは，ストレスを「種々のストレッサーを不快・恐れと認知することによって生じた精神的，身体的，社会的な歪みの状態」と定義し，QOLを生活の満足感と意欲の状態で捉え，これらの定義にしたがって尺度の開発を試みました。そして，図5-2に示ように，メンタルヘルスをストレス度（SCL）と生きがい度（QOL）の2軸から，「はつらつ型」「ゆうゆう（だらだら）型」「ふうふう型」「へとへと型」と名づけられる4つのパターンに分類する尺度を開発しました（橋本・徳永, 1999）。各パターンのなかに記載している数値は，パターンのなかでも小さいほうがメンタルヘルスはよいことを意味しています。

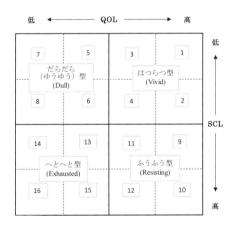

図5-2.　精神的健康パターン（橋本・徳永, 1999，加筆改編）

　「はつらつ型」はストレス度が低く，生きがい度が高いパターンです。生きがいが高いということは，達成しなければならない目標や課題があることになりますので，ストレッサー（刺激）は存在します。しかし，ストレス（反応）を溜めていませんので，目標や課題をネガティブなストレッサーとして捉えて

いないか，あるいはストレス（反応）をうまく処理をしており，現在の生活に満足し，意欲の高い状態と考えられます。きわめてメンタルヘルスが高い状態といえます。つまり，目標や課題があるにもかかわらずストレスを溜めていないことから適度なストレスがかかっている状態といえますので，このパターンが，セリエ（Selye, 1975）のいう「快ストレス（ユーストレス）」状態と考えられます。この意味から，「精神的健康パターン診断検査票（MHP）」は「快ストレス（ユーストレス）」状態を抽出する尺度といえるでしょう。

　「ゆうゆう（だらだら）型」は，ストレス度は低いが，生きがい度も低いパターンです。ストレスは溜めてはいませんが，現在の生活に対し満足感や充実感がなく，何となく平凡な，特段刺激のない生活を送っている状態といえます。つまり，生活に張り合いがなく，明確な生活の目標を見い出せていない状態ですので，メンタルヘルスとしてはやや低いといえます。当初はゆうゆう自適の意味で健康なメンタルヘルス状態としていましたが，自己の能力を十分に発揮しておらず力をもて余している状態と考え，より積極的な生活を促す意味から「ゆうゆう（だらだら）型」としています。

　「ふうふう型」は，ストレス度が高く，生きがい度も高いパターンです。解決・克服しなければならない何らかの目標や課題があり，ストレス（反応）を溜めながらも問題解決に向けて頑張っている状態と考えられます。このパターンは，生きがい度は高いので，ストレッサーに対し前向きに挑戦しているといえますが，オーバーワークとなっています。ストレスが溜まっていますので，長期的なストレッサーへの抵抗が続くと心身の疲弊は免れられず，精神的に必ずしも健康な状態とはいえないでしょう。

　「へとへと型」はストレス度が高く，生きがい度が低いパターンです。現在の生活に対し満足していないので，生きがいを喪失している状態で，ストレスだけが溜まっている状態です。メンタルヘルスはきわめて低いといえます。

　以上の4つのパターンでみるメンタルヘルスの状態は，はつらつ型＞ゆうゆう（だらだら）型＞ふうふう型＞へとへと型の順で悪くなることになります。この「精神的健康パターン診断検査票（MHP）」は，ストレス度（6因子）と生きがい度（2因子）によってメンタルヘルスをパターンとして診断するとともに，各下位尺度はプロフィールとして描くこともできるようになっています（橋本・徳永・金崎, 2000）。

2）MHP の尺度項目と精神的健康パターンの判別

精神的健康パターン診断検査票（MHP）の尺度項目は 40 項目であり（表 5-3），各下位尺度の項目は表 5-4 に示すとおりです。

表 5-3. 精神的健康パターン診断検査票（MHP）の尺度項目

		まったくそんなことはない	少しそうである	かなりそうである	まったくそうである
1	心配ばかりしている・・・・・・・・・・・・・	1	2	3	4
2	一つのことに気持ちをむけていることができない・	1	2	3	4
3	人と話をするのがいやになる・・・・・・・・・	1	2	3	4
4	見知らぬ人が近くにいると気になる・・・・・・	1	2	3	4
5	何となく全身がだるい・・・・・・・・・・・	1	2	3	4
6	寝つきが悪い・・・・・・・・・・・・・・・	1	2	3	4
7	しあわせを感じている・・・・・・・・・・・	1	2	3	4
8	やってみたいと思う具体的な目標をもっている・・	1	2	3	4
9	物事にこだわっている・・・・・・・・・・・	1	2	3	4
10	がんばりがきかない・・・・・・・・・・・・	1	2	3	4
11	人と会うのがおっくうである・・・・・・・・・	1	2	3	4
12	周囲のことが気になる・・・・・・・・・・・	1	2	3	4
13	なかなか疲れがとれない・・・・・・・・・・	1	2	3	4
14	眠りが浅く熟睡していない・・・・・・・・・	1	2	3	4
15	自分の生活に満足している・・・・・・・・・	1	2	3	4
16	将来に対して夢を抱いている・・・・・・・・	1	2	3	4
17	神経が過敏になっている・・・・・・・・・・	1	2	3	4
18	何かにつけてめんどうくさい・・・・・・・・・	1	2	3	4
19	一人でいたいと思う・・・・・・・・・・・・	1	2	3	4
20	多くの人々の中にいるとかたくなる・・・・・・	1	2	3	4
21	ときどき頭が重い・・・・・・・・・・・・・	1	2	3	4
22	夜中に目が覚める・・・・・・・・・・・・・	1	2	3	4
23	毎日楽しく生活している・・・・・・・・・・	1	2	3	4
24	何ごとに対しても意欲的に取り組んでいる・・・・	1	2	3	4
25	気持ちが落ち着かない・・・・・・・・・・・	1	2	3	4
26	ボーッとしている・・・・・・・・・・・・・	1	2	3	4
27	にぎやかなところを避けている・・・・・・・・	1	2	3	4
28	他人に見られている感じがして不安である・・・	1	2	3	4
29	何かするとすぐ疲れる・・・・・・・・・・・	1	2	3	4
30	さわやかな気分で目がさめる・・・・・・・・	1	2	3	4
31	精神的にゆとりのある生活をしている・・・・・	1	2	3	4
32	熱中して行っていることがある・・・・・・・	1	2	3	4
33	不快な気分が続いている・・・・・・・・・・	1	2	3	4
34	気が散って仕方がない・・・・・・・・・・・	1	2	3	4
35	なぜか友人に合わせて楽しく笑えない・・・・・	1	2	3	4
36	目上の人と話す時に汗をかく・・・・・・・・	1	2	3	4
37	気分がさえない・・・・・・・・・・・・・・	1	2	3	4
38	朝、気持ちよく起きられない・・・・・・・・・	1	2	3	4
39	生きがいを感じている・・・・・・・・・・・	1	2	3	4
40	何ごとに対しても楽観的にとらえている・・・・	1	2	3	4

ストレス度（SCL）は，心理的ストレスとして「こだわり」と「注意散漫」，
社会的ストレスとして「対人回避」と「対人緊張」，身体的ストレスとして「疲
労」と「睡眠・起床障害」の6つの下位尺度で，それぞれ5項目からなってい
ます。したがって，ストレス度が高いということは，なんらかの生活上の出来
事にこだわり，集中力が無く，他者の目を気にし過ぎて緊張している状態であ
り，身体的に疲労が溜り，睡眠の質が悪い状態となるでしょう。一方，生きが
い度（QOL）は「生活の満足感」と「生活意欲」から構成されていますので，
生きがい度（QOL）が高いということは，現在の生活に満足し，意欲をもって
積極的な生活をしている状態ということになります。

表 5-4. MHP 尺度の下位尺度

因子	下位尺度	尺度項目番号
心理的ストレス	こだわり	1, 9, 17, 25, 33
	注意散漫	2, 10, 18, 26, 34
心理的ストレス	対人回避	3, 11, 19, 27, 35
	対人緊張	4, 12, 20, 28, 36
心理的ストレス	疲労	5, 13, 21, 29, 37
	睡眠・起床障害	6, 14, 22, 30, 38
生きがい度	生活の満足感	7, 15, 23, 31, 39
	生活意欲	8, 16, 24, 32, 40

表 5-5. MHP 尺度の判定基準

因子	ストレス度	生きがい度
はつらつ型	58点以下	25点以上
ゆうゆう（だらだら型）	58点以下	24点以下
ふうふう型	59点以上	25点以上
へとへと型	59点以上	24点以下

3．精神的健康パターンで何が見えてくるのか

1) 諸特性からみた精神的健康パターンに占める割合
　精神的健康パターンに生活習慣や身体的な特性が反映するのでしょうか。こ
こでは，健康意識，認知的体力，女子学生の食行動と精神的健康パターンとの
関係をみてみることにします。
　まず，健康意識と精神的健康パターンの関係を図 5-3 に示しました。健康意
識は「いつも気をつけている」「ときどき気をつけている」「あまり気をつけて
いない」「まったく気をつけていない」の 4 段階ですが，両者間に顕著な関係

がみられ，健康に気をつけている人ほど「はつらつ型」が多く，「へとへと型」
が少なくなっています。

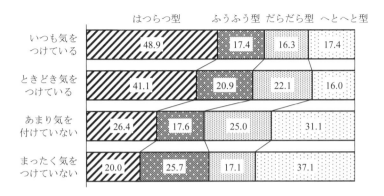

図 5-3. 健康意識と精神的健康パターンの関係（橋本，未発表）

　また，武部（2005）は女子学生を対象に精神的健康パターンと食行動との関
係を調べていますが，結果を図 5-4 に示しました。明らかに食行動（肥満にか
かわる行動：間食，夜食，リズム，ファーストフードなど）の良好な学生ほど
「はつらつ型」に占める割合が多くなっています。食生活は生活習慣と関連し
ていますので，メンタルヘルスの状態は生活習慣の良し悪しの反映といえます。

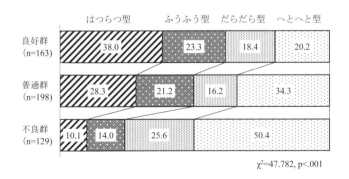

$\chi^2=47.782, p<.001$

図 5-4. 女子学生の食行動を精神的健康パターンの関係（武部，2005）

つぎに，体力に自信があるかどうかの認知的認知と精神的健康パターンの関係を図 5-5 でみてみましょう。認知的認知は「非常に自信がある―まったく自信がない」を両極とする 4 段階で測定しています。認知的認知も健康意識同様，精神的健康パターンとの間に顕著な関係がみられ，体力に自信がある人ほど「はつらつ型」が多く，「へとへと型」が少なくなっています。

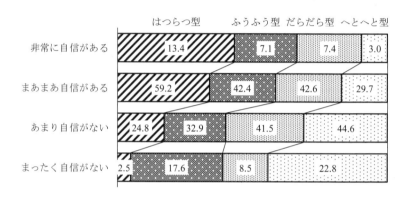

図 5-5. 体力認知と精神的健康パターンの関係（橋本，未発表）

このように，精神的健康パターンはその人の健康意識，生活習慣，身体的特性を反映し，個人の生活状況や状態が推測することができます（橋本ら，1994）。つまり，ストレスと QOL の組み合わせによって作られる精神的健康パターンは生活習慣や体力を反映していることが示唆されます。

このようなメンタルヘルスの状態をパターン化して捉えるような尺度は類をみません。MHP 尺度の 4 つのパターンの名称は，その人の生活の有様がわかるように命名されており，検査者にも被検査者にもなぜそのようなメンタルヘルスの状態になっているのか，生活状況が推測できるようになっています。

ぜひ，読者の皆さんも表 5-3 の設問に回答し，表 5-4 と表 5-5 を用いてご自身の精神的健康パターンを調べてみてください。そして 1，2 か月間運動を実践して，再度調査項目にチェックして精神的健康パターンがどのように変化しているかを確認してください。きっと，良い精神的健康パターンになることでしょう。なお，4 つの精神的健康パターンの的中率は非常に高いようです。

4．長期的ウォーキングによるメンタルヘルスの変化

　この「精神的健康パターン診断検査票（MHP）」は，長期的運動に伴うメンタルヘルスへの改善・向上効果を調べるために開発されたものです。図 5-6 に長期的ウォーキングによる精神的健康パターンの変化を示していますが，このデータは平成 21 年度の C 市における 6 か月間のウォーキング事業に参加した 73 名を対象にしたものです。

　精神的健康パターンに占める割合をウォーキング事業の前・後でみてみますと，「はつらつ型」は 54.8％から 64.4％に増加しているのに対し，「ゆうゆう・だらだら型」は 24.7％から 21.9％へ，「ふうふう型」は 5.5％から 2.7％へ，そして「へとへと型」は 15.1％から 11.0％へといずれも減少していました（図 5-6）。この変化は長期的なウォーキングを行うことで，ストレス度が減少し，生きがい度が増加した者が多くなったことを意味しています。

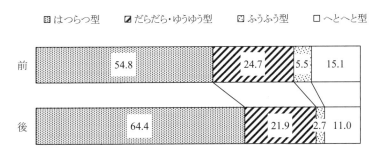

図 5-6．長期的ウォーキングによる精神的健康パターンの変化（橋本, 2010）

　さらに，「精神的健康パターン診断検査票」の因子ごとにみますと，「こだわり」から「睡眠起床障害」までの心理的，社会的，身体的なストレスの得点はすべて減少し，「生活満足」と「生活意欲」の生きがい度の得点は増加しています。しかし統計学的には，「こだわり」「対人緊張」「疲労」の有意な減少と「生活満足」と「生活意欲」の生きがい度に有意な増加が認められただけです（図 5-7）。

　このように，この診断検査は日常生活に運動を取り入れることによって，メ

ンタルヘルスが改善することを調べることができます。

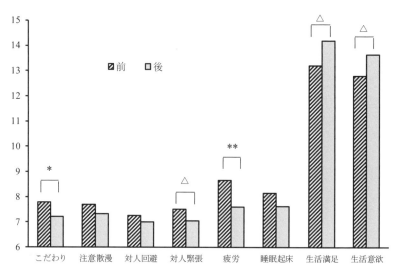

図 5-7.　長期的ウォーキングによる精神的健康状態の変化（MHP）

５．精神的健康パターンの改善への対応

　指導者がこの「精神的健康パターン診断検査票」の結果を用いて，指導・激励に用いるとき，どのようにして行えばよいか，最後に述べたいと思います。

　「はつらつ型」は，快ストレス状態ですので，そのまま継続していくように激励し，できれば「はつらつ型」の数値１（図 5-2 参照）を目指して，さらなる生活改善をするように指導するとよいでしょう。

　「ゆうゆう（だらだら）型」は，ストレスは溜まっていませんが，生きがい度が低いので，もてる力を出し切ることで生きがいは高まることから，何か明確な目標を探すように指導すればいいでしょう。

　「ふうふう型」は，要求される課題解決のために悪戦苦闘してストレス（反応）を溜めている状態ですので，この状態が続くと不健康な状態となることから，休憩・休息をとることを奨めたらいいでしょう。

最後の「へとへと型」は，これまで頑張りすぎて心身が疲弊していますので，「頑張れ」というのは酷です。よって，まず何らかのストレス解消法，特に運動などの積極的な健康行動を推奨し，心身を癒し，まず「ゆうゆう（だらだら）型」に移行させます。そのあと，新たな目標や課題を見い出すようにアドバイスをすればよいでしょう。

　このように，「精神的健康パターン診断検査票（MHP）」は，メンタルヘルス状態の診断とともに生活習慣の見直しから改善に向けての指導や激励ができますので,きわめて実用的な尺度といえます。

文　献

荒井弘和・松本裕史・竹中晃二（2004）　Waseda affect scale of exercise and durable activity（WASEDA）　における構成概念妥当性および因子妥当性の検討. 体育測定評価研究, **4**: 7-11.

Ajzen, I. (1985)　From intention to action: A theory of planned behavior. In J. Kuhl and J. Beckman (Eds.）, Action control: From cognitive to behavior (pp.11-39）. NY: Springer-Verlag.

Beck, A.T., Ward, C.H., Mendelson, M., Mock, J. & Erbugh, J. (1961）　An inventory for measuring depression. *Archieves of General Psychiatry*, **4**: 561-571.

Fishbein, M. & Ajzen, I. (Eds.) (1975) Belief, attitude, intention and behavior. An introduction to theory and research. Mass: Addition-Wesley.

Gauvin, L., & Rejeski, W.J. (1993) The exercise-induced feeling inventory: Development and initial validation. *Journal of Sport & Exercise Psychology*, **15**: 403-423.

橋本公雄・徳永幹雄・高柳茂美（1994）精神的健康パターンの分類の試みとその特性. 健康科学, **16**: 49-56.

橋本公雄・徳永幹雄 (1995)　感情の 3 次元構造論に基づく身体運動特有の感情尺度の作成―MCL-3 の信頼性と妥当性―. 健康科学, 17: 43-50.

橋本公雄・徳永幹雄 (1996)　運動中の感情状態を測定する尺度（短縮版）作成の試み―. MCL-S.1 尺度の信頼性と妥当性―. 健康科学, **18**: 109-114.

橋本公球, 徳氷幹雄（1999）精神的健康パターン診断検査の作成に関する研究（1）MHP 尺度の信頼性と妥当性. 健康科学, **21**: 53-62.

橋本公雄・徳永幹雄・金崎良三（2000）精神的健康パターン診断検査．株式会社トーヨーフィジカル.

橋本公雄（2010）ウォーキングによる健康な街づくり．平成 21 年度筑紫野市「なかなか余暇健康チャレンジ」報告書．筑紫野市健康づくり推進協議会.

橋本公雄・村上雅彦 (2011) 運動に伴う改訂版ポジティブ感情尺度 (MCL-S.2) の信頼性と妥当性．健康科学, **33**: 21-26.

金久卓也・深町健 Cornel Medical Index, CMI 健康調査票. 三京房.

九鬼周造 (1981) 九鬼周造全集, **4:** 70-222, 岩波書店.

MacNaire, D.M.. Lorr, N. & Dloplman, .L.F. (Eds.) (1971) Manual for profile of mood states. San Diego, CA: Educational and Industial Testing Service.

Martens, R. (1977) Sport competiton anxiety test. Human Kinetics: Champaign, ILL.

中川泰彬・大坊郁夫 日本版 GHQ. 日本文化科学社.

Rejeski, W.J., Best, D., Griffith, P., & Kenney, E. (1987) Sex-role orientation and the response of men to exercise stress. *Research Quarterly*, 58: 260-264.

Rejeski, W.J., Reboussin, B.A. Dunn, A.L. King, A.C. & Sallis, J.F. (1999) A modified exercise-induced feeling inventory for chronic training and baseline profiles of participants in the activity counseling trail. *Journal of Health Psychology*, **4(1)**: 97-108

坂入洋右・徳田英次・川原正人・谷木龍男・征矢英昭 (2003) 心理的覚醒度・快適度を測定する二次元気分尺度の開発．筑波大学体育科学系紀要, **26**: 27-36.

Selye, H. (1975) Stress without distress. NY: Academic Library,

Spielberger, C.D., Gorsuch, R.L. & Luchen, R.E. (1970) Manual for the state trait anxiety scale. Palo Alto, CA: Consalting Psychologists Press.

武部幸世(2005)女子学生の食生活習慣改善へ向けたトランスレオレティカル・モデルの適用に関する研究．平成 16 年度九州大学健康行動学修士論文.

Watson, D., Clark, L.A. & Tellegen, A. (1988) Development & validation of brief measures of positive and negative affect: The PANAS scales. *Journal of Personality and Social Psychology*, **34 (6)** : 1063-1070.

横山和仁・荒記俊一 (1994) 日本版 POMS 手引き．金子書房.

Zung, W.W.K. (1965) A self-rating depression scale. *Archives of General Psychiatry*, **12:** 63-70.

第二部

エアロビック運動指導のパラダイム転換
―快適自己ペース―

第6章　主観的な運動強度の快適自己ペース

　第3章では,「運動継続化の螺旋モデル」を提示し,その構成要素の1つである「快適経験」が運動継続化の根幹をなしていることを説明しました。運動指導において,どのようにしてこの「快適経験」としてのポジティブな感情状態を醸し出すかは指導者の力量にかかわる問題でもあります。しかし,運動中および運動後にポジティブな感情を醸成する運動強度が存在し,これを用いるならば.それは指導者の力量とは関係ないと思われます。

　そこで本章では,運動後のポジティブ感情の最大化と運動の継続化を意図して考案された自己決定・自己選択型の主観的な運動強度としての「快適自己ペース（Comfortable Self-Established Pace : CSEP,橋本ら,1993; 1995; 1996; 2000; 2015）」について解説することとします。

1節　相対的運動強度と主観的運動強度

1．相対的運動強度

　健康・体力づくりのための運動処方として,FITTという原則があります（アメリカスポーツ医学会,2011）が,これは実施する運動の頻度（F: frequency）,強度（I: intensity）,持続時間（T: time or duration）,タイプ（T: type of exercise）の英語の頭文字からなるもので,運動者に合わせて運動プログラムを作成するための原則をいっています。このなかの運動強度の設定には,個々人の最大酸素摂取量（$\dot{V}O_2max$）や最高心拍数（220－年齢）に対する割合（%$\dot{V}O_2max$や%HRmax）が用いられていますが,これらを相対的運動強度といっています。最大酸素摂取量とは,1分間当たりに身体に取り込むことのできる酸素量の最大値のことで,呼吸系,循環系,代謝系の能力を総合した指標（日本体育学会監修,2006）ですので,有酸素性作業能力とも全身持久力ともいわれます。

　実際の健康・体力づくりの運動指導現場では,トレッドミルや自転車エルゴ

メーターを用いて運動者の最大酸素摂取量を測定するか，最高心拍数を用いて個々人の相対的運動強度を算出し，中等度強度が提示されています。中等度の運動強度は，最大酸素摂取量の場合は 40～59%$\dot{V}O_2$max，最高心拍数の場合は 55～69%HRmax に相当します（健康・体力づくり事業財団，2011）。

　しかし，この個々人の体力レベルに対応した中等度の相対的運動強度が設定されたとしても，実際には運動者はそれを遵守していないようです。C 市のフィットネスセンターの健康運動指導士の方に，「運動者に合わせた相対的運動強度を提示して，運動者はそれを用いて運動を行っていますか」と尋ねたところ，回答は「いいえ」でした。そこでさらに，「では，そのときはどうするのですか」と尋ねましたら，「運動者に任せています」ということでした。おそらく，指導者が指定した運動強度を強要すると，運動者から嫌われるからでしょう。

　この会話のなかには，研究成果から導き出された安全で運動の効果が得られる相対的運動強度と運動者が自由に選択する運動強度の間に乖離があることを意味しています。この理由は，指示される相対的運動強度は運動の効果を目的としていますが，運動者にとってはその運動強度をどのように感じるかが問題であり，自分の最も心地よい，自己に適した運動強度を選好するからです。

２．主観的運動強度（Borg スケール：RPE）

　もう１つの運動強度の設定法として，Borg (1974) が開発した主観的運動強度（RPE: ratings of perceived exertion）があります。これは運動者自身が運動中の「きつさ」の感覚を主観的に評価できるもので，RPE とか Borg スケールとも呼ばれますが，運動処方によく用いられています。6 から 20 までの 15 段階からなる数値とそれに対応した「きつさ」を表す言葉で作成されています。つまり，RPE は運動強度をより運動者の主観に訴えて設定するものです。RPE の数値の 10 倍が心拍数に相当するといわれ，客観的な運動強度に対応しています。小野寺・宮下（1976）

表6-1．RPEの日本語表示

20	
19	非常にきつい
18	
17	かなりきつい
16	
15	きつい
14	
13	ややきつい
12	
11	楽である
10	
9	かなり楽である
8	
7	非常に楽である
6	

は表 6-1 に示す日本語版の RPE 尺度を作成し，%V̇O2max や%HRmax と高い相
関が得られていることが報告されています。中等度の強度は，13 の「ややきつ
い」に相当するようです（健康・体力づくり事業財団, 2011）ので，運動指導
者は「12 か 13 のレベルで運動してください」と指示されます。よって，この
RPE は主観的運動強度と訳されていますが，指示型の相対的運動強度の 1 つと
考えられます。

2節　自己選択・自己決定型の快適自己ペース

1．快適自己ペースとは

　これまで運動処方では，運動の効果をあげるため，安全性にも考慮し，中等
度強度が推奨され用いられてきました。よって，運動心理学における感情研究
でも，これらの相対的運動強度が多く用いられ，運動に伴う感情変化の研究が
行われてきました。つまり，運動に伴う感情の変化や効果を調べることだけに
関心があり，どのようにしたら運動を継続することができるかという運動の継
続化の視点がなかったわけです。それは第4章で述べてきましたように，不安
や抑うつなどのネガティブ感情の改善に対する運動の効果を扱っていたこと
にあります。運動と感情の関係は，非薬物療法としての運動療法という視点で
効果を追求していたことに原因があります。しかし，臨床的な不安や抑うつが
改善したら人は運動をやめてしまうかもしれません。また，健常者における不
安や抑うつは一過性のもので，だれでも経験するものですので，運動で不安や
抑うつが改善できることを主張したとしても，人は運動を開始するとは限らな
いでしょう。この点，運動後のポジティブ感情の増加は，運動の継続化に影響
する可能性があります。
　そこで，運動に伴うポジティブな感情の最大化と運動の継続化を意図して，
「快適自己ペース（Comfortable Self-Established Pace: CSEP）」という自己決定
的・自己選択型の主観的な運動強度を提唱しているわけです（橋本ら, 1993;
1995; 1996; 2000; 2015）。そこでまず，この「快適自己ペース」の発想，利点，
設定法について述べることとします。

1）快適自己ペースの発想

　周囲 2Km の公園をランニングで周回している人を見かけ，その人の公園1
周に要する所要時間を計測してみましたところ，1周目と2周目に要する時間
はほぼ同一でした。また近年，24時間の使用可能なフィットネスジムが街に開
設され，多くの人がトレッドミルを使って走ったり，自転車エルゴメーターを
漕いでいます。運動指導者がいる時間帯もあるようですが，基本的には運動者
が自由にこれらのトレーニング器具を使って，自分なりのペースを設定して運
動を行っているようです。

　この人たちはどのようにしてこの一定のペースをつかんでいるのでしょう
か。決して，運動科学の専門家や健康運動指導士からそのペースを教わったも
のではないことは想像に難くありません。何回かランニングや自転車エルゴメー
ターを漕いでいるうちに，自然と自分なりのペースを身に付けたものです。
健康づくりや楽しみを目的としてランニングを行っている人は，こころやから
だにとって最も自分に適したペースをつかみ，ランニングを楽しみ，そして継
続しているのです。もし，運動科学の専門家や健康運動指導士が，「そのペー
スでは効果が得られないので，もっと速いペースにしなさい」とか，「安全の
ためにもう少しペースを落としなさい」とアドバイスしたとしても，運動者は
その指示に従わないでしょう。毎日運動を楽しく，気持ちよく実践するために
は，自分自身に適したペース，つまり個々人に合った運動強度が最もよいわけ
で，それゆえ続けられるのです。そこで，「自分に適したペース」とか，「自
分に合ったペース」は，運動者自身で設定できると考えたわけです。

2）運動処方のパラダイム転換を図る快適自己ペース

　ランニング愛好者たちが経験則で培ったこの一定のペースこそが運動の継
続に役立つのではないかと考えました。人は「快」を感じる対象には接近し，
選択しますが，不快を感じる対象からは回避し，排除する傾向にあります。こ
のように，自己選択された行動には「快－不快の原理」が働いているのです。
よって，ランニング愛好者が継続している一定のペースは「快」の対象として
受け入れられていることになります。そして，この一定のペースでのランニン
グを遂行した結果として，ポジティブな感情が得られていることは間違いない
と考えられます。このことはランニングだけでなく，ウォーキングや自転車エ
ルゴメーターなどの単一運動でも同様です。

自己選択的な強度として，好き嫌いの感情による「好みの運動強度（preferred intensity, Dishman, et al., 1994」や笑顔を保てて行える50%VO₂maxの低強度の「ニコニコペース（田中，2005）」が提案され，運動現場で使用されていますが，これらは個々人がつかんでいる一定のペースとは関係ありませんので，発想がまったく異なります。

　そこで，運動継続者が選好する一定のペース，つまり自己決定・自己選択型の主観的な運動強度を「快適自己ペース（CSEP: Comfortable Self-Established Running）」と称し，運動処方のパラダイムの転換を図ることを企図しました。運動処方の主眼を運動の効果のみに置くのではなく，運動の継続化を第一義とし，その結果として運動の効果を目指すというパラダイムの転換を図ったわけです。実際に規則的に運動を行っている人は，「快適自己ペース」で行っていると推察され，メンタルヘルスの改善や向上に向けた新たな運動処方を考えるとき，この「快適自己ペース」は実用可能な主観的な運動強度として用いることは可能です。また，運動者の最大酸素摂取量の割合（%VO₂max）は「快適自己ペース」で運動を遂行した際の客観的な運動強度を知るのに有用です。

　この「快適自己ペース」という主観的な運動強度で行うランニングを「快適自己ペース走（Comfortable Self-Paced Running: CSPR），写真6-1」，ウォーキングを「快適自己ペース歩行（Comfortable Self-Paced Walking: CSPW），写真6-2」と，称することにしました。

写真6-1. 快適自己ペース走（CSPR）　　写真6-2. 快適自己ペース歩行（CSPW）

3) 「快適」の意味

　快適とは, 「ぐあいがよく気持ちはよいこと(広辞苑, 1986)」と記されているように, 感情状態を表す用語です。しかし, 「快適自己ペース」で用いる「快適」の意味は決して, ぐあいがよい, 気持ちがよい, 心地よい, 楽しいなどといった感情状態を意味しているわけではありません。運動を遂行した結果として, そのようなポジティブな感情が表出してくるかもしれませんが, 自己ペースに「快適」の冠を付けた理由は, 人びとが固有にもっている「快」を感じる一定のペースをつかませるためです。「気持ちよいペース」「心地よいペース」「好みのペース」では, 抽象的で実際にはわかりにくいと思うからです。

　建築学の学問分野で用いられる「快適な空間」や「快適な色彩」という場合の「快適」とは, 決してポジティブな感情状態を言い表していないと思われます。ここで用いられている「快適」とは, 言い換えれば, 「不快を感じない」とか, 「違和感がない」ということで, 不快でない色彩とか違和感のない空間ということになります。皆さんが部屋に入られたとき, 壁や天井の色に気づくことがあるでしょうか。おそらくほとんどの人は気づかないと思います。また, ある部屋の大きさに対して, 人数が多過ぎたり少な過ぎたりすれば, なんとなく違和感があることでしょう。

　これと同じで, 「快適自己ペース」で用いられる「快適」とは, 不快を感じない, 違和感のないということです。ランニングやウォーキング中に不快を感じないペース(運動強度)は存在すると考え, その運動強度を設定するために, 「快適」を自己ペースの冠に付けたわけです。不快でない違和感のないペース(運動強度)ですので, 運動後の感情はネガティブにならず, むしろポジティブになることが推測されます。よって, 「快適自己ペース」という自己決定, 自己選択した主観的な運動強度は, 運動後にポジティブな感情を醸成する運動強度の設定法ということになるのです。

　ところで, 従来性格の研究でさまざまな動作の課題を用いて, 「快」を感じるテンポの研究が行われてきました。打叩, 振り子, メトロノームなどの同一課題を用いて快適なテンポで動作を行わせると, そのテンポの速さには一貫性が認められています。この動作の速さを精神テンポ(パーソナルテンポ)といっています(三島, 1951)。つまり, 人には「快」を感じる一定のテンポが存在するということです。よって, 精神テンポと「快適自己ペース」は同じことをいっているのかもしれません。しかし, 前述しましたように, 「快適自己ペース」はポジティブな感情を最大化するための運動強度の設定法としてネーミン

グされたものであり，精神テンポとは意味が異なります。また，テンポとペースとは異なりますが，運動強度の設定法に用いる場合，「精神テンポを探してください」といっても理解できませんし，「不快を感じない違和感のない快適なペースを探してください」と言語教示したほうが分かりやすいと思います。さらには，「快」を用いることによって，「快適自己ペース」は心理生理学的指標となり，生理心理学研究の対象ともなります。それゆえ，「快適自己ペース」の研究を進めるにあたって，当初から運動生理学専門の研究者（斉藤篤司氏）との共同研究で始めた次第です。

2．快適自己ペースの利点

「快適自己ペース」は個々人の体力を基準とした相対的運動強度で効果を重視する運動処方とは根本的に異なり，運動者の意思や感情を重視し，運動の継続化を考慮に入れた運動強度の設定法です。相対的運動強度で運動処方された場合，運動強度を変更することは基本的にできません。しかし，運動者の日々の体調や運動中の心理状態は刻々と変化しますので，指定された運動強度を維持することは不可能です。それを遵守すれば運動中や運動後のポジティブな感情状態は低下することになります。よって，運動者が自由に運動強度を選択し，変更できる運動強度こそが重要で，これが「快適自己ペース」なのです。

「快適自己ペース」の利点を表6-2に示しました。「快適自己ペース」には個人差があり，日々の体調や運動中でも変更できます。また，常に運動中や運動後にネガティブな感情は生起せず，ポジティブな感情を獲得できる可能性があります。いわゆる運動後の「気分の良い状態」を味わうことができるわけです。運動によるポジティブな感情の獲得は運動に対する好意的態度の形成に役立ち，運動の継続化を導く可能性があるといえるでしょう。

表6-2．快適自己ペースの利点

1. CSEPには個人差があり，自分で選択できる
2. CSEPはその日の体調や気分の状態で変更できる
3. CSEPは快適な状態を維持するために運動中に変更できる
4. CSEPでの運動は常にポジティブな感情をもたらす
5. CSEPは運動継続を導く可能性がある

3．快適自己ペースの設定法

　「快適自己ペース」は，「こころとからだと相談しながら快適と感じるペースを探してください。しかし，ここでいう“快適”というのは“不快を感じない”，“違和感がない”という意味です。」という言語教示を用いて運動強度を設定します。トレッドミルや自転車エルゴメーターを用いて行われる運動では，ペースを速くしたり遅くしたりして「快適自己ペース」を調節することができますので，4〜5分も行えば運動者の多くは不快を感じないペースをつかむことができるでしょう。しかし，初めてこれらの運動を行う人は「快適自己ペース」が安定するまでは，数回の試行が必要かもしれません。

　また，フィールドを用いて「快適自己ペース」をつかませる方法としては，陸上グラウンドか路上の電信柱や建物を用いるとよいと思います。これらの一定の距離や区間を決め，ランニングやウォーキングを行い，所要時間を計測します。何度か「快適自己ペース」を探しながら運動を遂行していると，ほぼ一定の所要時間となることでしょう。この一定となったペースが個々人の「快適自己ペース」となるのです。

　このときの%HRmaxの運動強度を測定したいのなら，心拍測定器か触診法で心拍数（脈拍数）を測定し，下記のカルボーネン法の式を用いて算出することができます。

$$運動強度（\%HRmax）= \frac{（運動中の心拍数－安静時の心拍数）}{（最高心拍数－安静時の心拍数）} \times 100$$

　運動中の心拍数

　　　触診法で測定する場合は，運動終了直後の15秒間，橈骨動脈で脈拍を測定し，それを4倍して10を加算した値が運動中の心拍数の推定値となります。

　最高心拍数＝220－年齢

　これらの数値を上記の式に代入すれば，最高心拍数の割合（%HRmax）が算出でき，運動者の「快適自己ペース」の運動強度が算出できます。

3節　快適自己ペースの理論的背景

　1970 年代から半世紀以上にわたり，運動とメンタルヘルスに関する研究が行われているにもかかわらず，その改善・向上のための運動処方は未だ確立していません。バーガー (Berger, 1983) は，先行研究から得られた知見に基づき，ストレス低減をもたらす運動の要件として，① 反復性，② 連続性，③ 20〜25 分間の時間，④ 中等度の運動強度，⑤ 非競争性，⑥ 自己選択された楽しさ，⑦ 週間スケジュールのなかに組み込まれた規則性，⑧ 快適な環境をあげています。総花的ではありますが，運動の継続化と心理的効果を考えたとき，「自己選択された楽しさ」や「中等度の運動強度」などは参考になります。また，サイム (Sime, 1996) もメンタルヘルスの改善の要件として，活動の「楽しさ」と「好み（自己選択）」をあげ，ワンケル (Wankel, 1993) は身体活動の継続と心理的効果の重要な要因として「楽しさ」をあげています。

　そこでここでは，運動の継続化と心理的効果に役立つと考えられる「楽しさ」「中等度強度」「自己選択」に関連する理論として，「フロー理論」「逆U字曲線仮説」「自己決定理論」を取りあげ，「快適自己ペース」の理論的背景としたいと思います。

1．フロー理論

　チクセントミハイ (Csikzsentomihalyi, M.) は，スポーツ活動，ゲーム，仕事などでしばしば体験されるポジティブな心理状態を「フロー (flow)」という概念を用いて説明しています (チクセントミハイ/今村, 1980)。フローとは，「全人的に行為に没入しているときに人が感じる包括的な感覚」をいい，フロー体験は行為そのものが自己目的的活動となっており，内発的に動機づけられているときに体験されるものです。そして，フローの活動では，楽しい体験が生まれることが基本的機能となっています。また，このフロー状態が得られる条件は，図6-1に示すようなフロー・モデルで説明されています。つまり，フロー状態は自己の能力と挑戦する課題が合致しているときに体験され，自己の能力より挑戦する課題が難しいときは不安を感じ，それが易しいときは退屈するというものです。つまり，フロー状態以外のゾーンはネガティブな感情状態となる

ことになります。

　このフロー状態は高い課題におい
て体験されるといわれていますが，
テレビゲームに夢中になっている子
どもを考えてみてください。何時間
も集中し，疲労を感じることなく楽
しみの世界のなかに見入っていま
す。まさにこの状態はフロー状態に
あるということになります。運動の
継続化やメンタルヘルスへの効果を
考える際，この楽しみの状態を意味
するフローの概念はきわめて重要な
視点となると思われます。

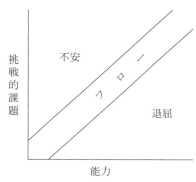

図6-1. フロー・モデル
(Csikzentmihalyi, 1975)

　仮に，挑戦する課題をウォーキングやランニングの課題とし，能力を体力と
すれば，この両者が合致するゾーンに「快適自己ペース」の運動強度が存在し，
快感情が醸成されると推察されます。ゆえに，フロー理論を「快適自己ペース」
の理論的背景の1つとする理由です。

２．脳の覚醒水準とパフォーマンスの逆 U 字曲線仮説

　運動・スポーツ場面において，脳の覚醒水準とパフォーマンス間に逆U字曲
線の関係（逆U字型仮説）が認められることが知られています。この逆U字曲
線仮説は，課題のパフォーマンスは脳の覚醒水準が高まるにつれて徐々に増加
しますが，ある水準以上に高まると，逆にパフォーマンスは減少する（Landers,
1980）ということを示しています（図6-2）。つまり，最高のパフォーマンスを
発揮する最適な脳の覚醒水準があることを意味しているわけです。

　運動処方において個人差や動機づけを考える際，この逆U字曲線仮説はきわ
めて重要であり，縦軸のパフォーマンスをポジティブ感情に，横軸の脳の覚醒
水準を運動強度（運動ストレス）に置き換えることも可能かと思います。個々
人にとって最適な運動強度のときポジティブ感情は最大化され，それよりも高
くても低くてもポジティブ感情は低下するとみています。

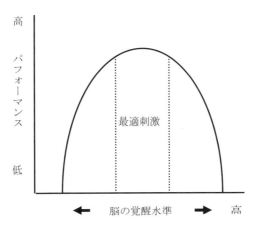

図6-2. 脳の覚醒水準とパフォーマンス間の
逆U字曲線の関係（Landers, 1980）

　よって，運動に伴うポジティブな感情を最大化させるための至適運動強度
として，「快適自己ペース」を提唱しているわけで，運動強度と感情の獲得の
逆U字曲線仮説は意味があり，「快適自己ペース」の理論的根拠としている所
以です。

3．自己決定理論

　デシとライアン（Deci & Ryan, 1985）は内発的動機づけの中心概念の１つに
「自己決定」を用いています。自己決定とは，「自己の意志を活用する過程」
であり，主体性，自主性，自発性などと関係する概念です。これまでの研究で，
自己決定や自己選択を行うことのできる自由が与えられた場合は，自由が制限
されたときより内発的動機づけは高いことが明らかにされています（桜井，
1995）。また，デシとライアン（Deci & Ryan, 1985）はこの自己決定的な活動と
統制された活動の違いについて，人は活動についてより大きな選択的感覚をも
つとき，その活動は葛藤やプレッシャーはなく持続されるが，統制された活動

では大きな緊張やプレッシャーがかかり，ネガティブな情動状態となると述べています。これらのことから，運動強度も指導者から指定されるよりも運動者が自分で選択し，決定するほうが動機づけを高めるにはよいと思われます。

　自己決定理論に基づく研究ではありませんが，ソンプソンとワンケル（Thompson & Wankel, 1980）は，ヘルスクラブへの参加率について，活動の自己選択と標準的なプログラムを比較した結果，自己選択のほうが参加率が高いことを明らかにしています（図6-3）。

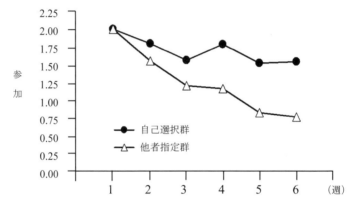

図6-3. 自己選択と非自己選択による運動プログラムの
　　　　継続率（Thonmpson & Wankel, 1980）

　このように，指定された運動より自己決定や自己選択された運動のほうが継続に役立ちますので，この運動者の意志を尊重した運動のさせ方を運動処方に取り入れることは重要と思われます。「快適自己ペース」とは，まさに，自己決定・自己選択型の主観的な運動強度であり，相対的運動強度を用いるより運動の継続化に役立つことが考えられます。よって，自己決定理論を「快適自己ペース」の理論的背景の1つとする理由です。

　以上，述べましたように，「快適自己ペース」の理論的背景として，フロー理論，脳の覚醒水準とパフォーマンスの逆U字曲線仮説，そして自己決定理論の3つを援用しています。

文　献

アメリカスポーツ医学会（2011）アメリカスポーツ医学会（編），日本体力医
　　学会体力科学編集委員会（監訳）：運動処方の指針−運動負荷試験と運動
　　プログラム，原書第 8 版，南光堂，2011.

Berger, B.G. (1983) Stress reduction through exercise: The mind-body connection.
　　Motor Skills: Theory into Practice, **7 (1)**: 31-46.

Borg, G.A. (1974) Perceived exertion. *Exercise & Sport Sciences Reviews*. **2**:131-53.

チクセントミハイ, M. /今村浩明（訳）（1980）楽しみの社会学−不安と倦怠を
　　超えて−. 思索社，(Csikzentmihalyi, M. 1975 Beyond boredom and anxiety.
　　Jossey-Bass, Inc., Publishers.)

Deci, E.L. & Ryan, R.M. (1985) Intrinsic motivation and self-determination in human
　　behavior. New York: Plenum press.

Dishman, R.K., Farquhar, R.F., & Cureton, K.J. (1994) Responses to preferred
　　intensities of exertion in men differing in activity levels. *Medicine and Science
　　in Sport and Exercise*, **26**: 783-790.

橋本公雄・徳永幹雄・高柳茂美・斉藤篤司・磯貝浩久（1993）快適自己ペース
　　走による感情の変化に影響する要因−ジョギングの好き嫌いについて
　　−. スポーツ心理学研究, **20 (1)**: 5-12.

橋本公雄・斉藤篤司・徳永幹雄・高柳茂美・磯貝浩久（1995）快適自己ペース
　　走による感情の変化と運動強度. 健康科学, **17**: 131-140.

橋本公雄・斎藤篤司・徳永幹雄・花村茂美・磯貝浩久（1996）快適自己ペース
　　走に伴う運動中・回復期の感情の変化過程. 九州体育学研究, **10 (1)**: 31-
　　40.

橋本公雄（2000）運動心理学研究の課題—メンタルヘルスの改善のための運動
　　処方の確率を目指して—. スポーツ心理学研究, **27**: 50-61.

橋本公雄・斎藤篤司（2015）運動継続化の心理学—快適自己ペースとポジティ
　　ブ感情—. 福村出版.

健康・体力づくり事業財団（2011）1. トレーニング概論. 健康運動指導士養成
　　講習会テキスト, p.339.

広辞苑（1986）岩波新書.

Landers, D.M. (1980) The arousal-performance relationship revisited. *Research
　　Quarterly*, **51**: 77-90.

三島二郎（1951）精神テンポの恒常性に関する研究. 心理学研究, **22(1)**: 12-27.

日本体育学会監修（2006）最新スポーツ科学事典. 平凡社.

小野寺孝一・宮下充正（1976）前進持久性運動における主観的強度と客観的強度の対応性— Ratings of perceived exertion —. 体育学研究, **21(4)**: 191-203.

Sime, W.E. (1996) Guidelines for clinical applications of exercise therapy for mental health. In J.L.V., Raalte, & W.B., Brewer (Eds.). Exploring sport and exercise psychology. pp. 170-171. American psychology Association, Washington D.C.

桜井茂男（1995）自己決定と動機づけ. 新井邦二郎（編著）教室の動機づけの理論と実践. 金子書房, pp. 112-129.

田中宏暁（2005）ニコニコペースの効用. 体力科学, **54**: 39-47.

Thompson, C.E. & Wankel, L.M. (1980) The effect of perceived activity choice upon frequency of   exercise behavior. *Journal of Applied Social Psychology*, **10 (3)**: 436-443.

Wankel, L.M. (1993) The importance of enjoyment to adherence and psychological benefits from   physical activity. *International Journal of Sport Psychology*, **24**: 151-169.

第7章　快適自己ペースの一貫性と至適運動強度

　前章では，運動に伴う感情の変化をみるときの運動強度として，相対的運動強度とは異なる自己決定・自己選択型の主観的な運動強度としての快適自己ペースの概念や理論的背景について説明しました。ここでは，快適自己ペースの一貫性（再現性）と運動後のポジティブ感情を最大化する至適運動強度について解説することとします。

1節　快適自己ペースの運動強度と一貫性

1．快適自己ペースの運動強度

　快適自己ペースの主観的な運動強度でランニングを行ったとき，どのような運動強度になるのでしょうか。公園などをランニングしている人たちの走行スピードは同一ではありません。快適自己ペースの場合，運動者が快適と感じるペースを選択しますので，運動強度は高くても低くてもよいわけです。

　そこで，「快適自己ペース」がどの程度の運動強度になるのか，室温・湿度の統制された環境下での実験室において，快適自己ペース走を実施したときの運動強度を，心拍数，$\%\dot{V}O_2max$（相対的運動強度），RPE（主観的運動強度）でみていきたいと思います。これまでの研究で行った快適自己ペース走時の運動強度を表 7-1 にまとめて示しています。

　研究方法はすべて同一で，15〜20 名の男子学生を対象とし，トレッドミル上を 15 分間の「快適自己ペース」でのランニングを行っています。心拍数，$\%\dot{V}O_2max$, RPE を被験者の平均値でみてみますと，心拍数は 138.2〜155.0 拍/分，$\%\dot{V}O_2max$ は 51.9〜60.7%, RPE は 11〜13 の範囲となっていますが，これらはすべて中等度の運動強度に相当しています。RPE の主観的運動強度は 12 前後ですが，11 が「楽である」で 13 が「ややきつい」となりますので，その間の値となります。「快適自己ペース走」を遂行させた場合，RPE は一貫して

このあたりの数値が選択されますので,「快適自己ペース」は「楽ではないが,きつくもない」という感覚だと考えられます。

表 7-1. 快適自己ペースの運動強度

	齊藤ら(1994)	橋本ら(1995)	橋本ら(1996)	橋本ら(未発表a)	橋本ら(未発表b)
性　　別	男子	男子	男子	男子	男子
人　　数	15	17	18	19	20
種　　類	トレッドミル	トレッドミル	トレッドミル	トレッドミル	トレッドミル
走行時間	15分	15分	15分	15分	15分
心拍数	141.2 (19.0)	155.0 (20.45)	146.3 (13, 83)	138.2-141.8	139.2 (13.88)
%$\dot{V}O_2$nax	55.8 (10.7)	60.7 (9.60)	51.9 (7.50)	54.0-56.8	54.5 (11.68)
RPE	11.8 (0.8)	12.6 (1.58)	12.1 (0.71)	11〜13	—
備　　考				10回施行	

2．快適自己ペースの生理的閾値

「快適自己ペース」で走行した場合,ペースを自分で選択しますので,運動強度が高すぎると,身体への負担度が増し,危険性が高まることが心配されます。しかし,「こころとからだと相談して,不快を感じない違和感のないペース」を選択するように言語教示していますので,運動強度が高すぎる場合,生理的にどこかでブロックされていることが考えられます。

そこで,斎藤ら(1994)は,男子学生15名を対象に,「快適自己ペース」での個々のランニング時の運動強度(%$\dot{V}O_2$max)と換気性作業閾値(VT: Ventilation Threshold)の関係を調べています。換気性作業閾値(VT)とは,運動強度を増していくときに有酸素(エアロビック)運動から無酸素(アネロビック)運動に切り替わる転換点のことをいいます。「快適自己ペース走」時の相対的運動強度(%$\dot{V}O_2$max)と換気性作業閾値(VT, %$\dot{V}O_2$max)の関係を図7-1に示しています。多くの被験者が換気性作業閾値(VT)を超えないか,それ

以下で走行していることがわかります（図 7-1 の左上半分）。換気性作業閾値（VT）を超える運動を行うと，呼吸が乱れ，息苦しく，呼吸数が増えることになります。その結果，心理的には不快感や違和感が生じることとなり，快適なペースは保てなくなってしまうことが考えられます。よって，この VT という換気性作業閾値が「快適自己ペース」の上限を調節している可能性が指摘できます。このことから，「快適自己ペース」でのランニングにおいては，危険性は低いといえるでしょう。

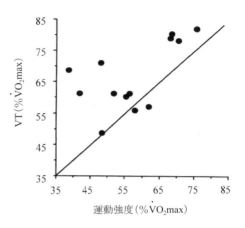

図 7-1. 快適自己ペースで運動した際の運動強度と VT 強度との関係（齊藤ら，1994）

3．快適自己ペースの一貫性

1) 快適自己ペースの 10 試行間の変動

「快適自己ペース」の一貫性（再現性）を調べるため，男子大学生 19 名を対象にトレッドミルを用いて 15 分間の「快適自己ペース走」を 10 試行実施し，走行時の後半 10 分間の運動強度（走行スピード，心拍数，%$\dot{V}O_2max$，RPE）を調べた結果を図 7-2 に示しました（橋本ら，1997），

10 回の試行をとおして，19 名の平均走行スピードは 1 回目から 4 回目までは漸増していますが，その後はほぼ一定で，変動はありません。初期の段階で走行スピードが漸増しているのは，トレッドミルへの慣れが影響しているのではないかと推察されます。しかし，平均心拍数は 10 試行をとおして，138.2～141.8 拍/分の範囲でほぼ一定しており，変動はありません。相対的運動強度（%$\dot{V}O_2max$）も，54.0～56.8%$\dot{V}O_2max$ の範囲で 1 回目から 10 回目までほぼ一定の値を示していました。ただ，心拍数や走行スピードの標準偏差が非常に大きいことは，速く走る人と遅く走る人がいることを意味しています。また，平均 RPE

は 10 試行をとおして，12
（11: "楽である"から 13:
"ややきつくない"の間）程
度で一定しており，標準偏
差が小さいことがわかり
ます。このように，心拍
数，%$\dot{V}O_2$max，RPE が初
回から 10 回の試行をとお
して変動が小さく推移し
ていることを考えてみま
すと，走り慣れてくると
個々の「快適自己ペース」
の変動は小さく，一定の運
動強度で保たれて走行さ
れているといえます。

　ところで，走行スピード
は 1 回目から 4 回目まで
は漸増しているのに，心拍
数や%$\dot{V}O_2$max は 1 回目か
ら一定であるということ
は，「快適自己ペース」は
走行スピードではなく，心
拍数や%$\dot{V}O_2$max に規定さ
れていることが推察され
ます。これは「快適自己ペ
ース」を設定する際，「こ
ころとからだと相談しな
がら」と言語教示をしてい
ますので，不快でない，違
和感のないペースが心拍
数や酸素の摂取量で調整
されているのではないと
推察されます。

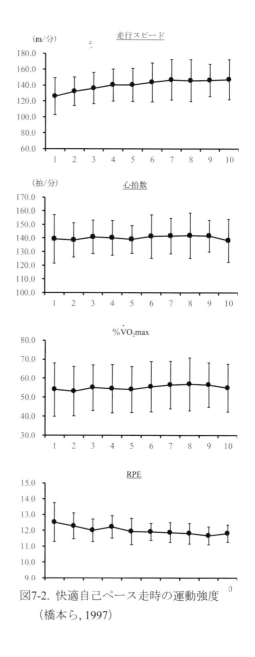

図7-2. 快適自己ペース走時の運動強度
　　（橋本ら, 1997）

これらの運動強度はすべて中等度強度を示していました。しかし，個々人の，走行スピード，心拍数，%$\dot{V}O_2$max の標準偏差が大きいことから，「快」を感じる感覚は人によって異なるということを意味しています。

2）快適自己ペースの一貫性
　「快適自己ペース」に一貫性があるかどうかは，試行間の相関係数を調べることでわかります。相関係数 (r) とは，2変数間の関係性の強さをみる指標で，−1.0＜r＜＋1.0　の範囲となり，±1.0に近いほど2変数間に強い関係があることを意味し，特にr＝0.7以上であれば強い関係があるといえます。
　10試行の「快適自己ペース」でのランニング中の運動強度に関し，走行スピード，心拍数，%$\dot{V}O_2$max，RPEの試行間の相関係数を，序盤の1回目と2回目，中盤の4回目と5回目，終盤の9回目と10回目の試行について，表7-2に示しています。

表 7-2. 快適自己ペース走における試行間の運動強度指標の相関係数

運動強度指標	1-2回目	4-5回目	9-10回目
走行スピード	.87**	.86**	.95**
心拍数	.82**	.87**	.90**
%$\dot{V}O_2$max	.88**	.96**	.95**
RPE	.41$^{\triangle}$	.42$^{\triangle}$	.35

注）n=19　　　　　　　　　　　　　　　$^{\triangle}$p<.10　　** p<.01

　まず，走行スピードをみてみますと，序盤の1回目と2回目の試行間の相関係数は，すでにr=.87と非常に高い値であり，終盤の9回目と10回目ではr=.95と，ほぼr=1.0に近くなっています。つまり，被験者のほとんど全員が9回目と10回目は同一のスピードで走行しているということになります。走行スピードは4回目くらいまでは図7-1で示しましたように，徐々に速くなっていましたが，それでも試行間の相関係数は序盤から高いというわけです。

つぎに，心拍数をみてみますと，序盤でr=.82，中盤でr=.87，終盤でr=.90と試行が進むにつれて相関係数は高くなっています。また，%V̇O₂maxは序盤の1回目と2回目の相関係数は，r=.88と非常に高い値であり，中盤の4〜5回目からすでに，r=.96とほぼr=.10に近くなっていることがわかります。そこで，序盤（1回目と2回目）と終盤（9回目と10回目）の「快適自己ペース」の%V̇O₂maxの値を図7-3に示してみました。斜線上にすべてがプロットされると相関係数はr=1.0となりますが，序盤（1回目と2回目）の値はすでに線上に近いところにプロットされており，終盤の9回目と10回目の値はほぼ斜線上にあります。つまり，9回目と10回目の%V̇O₂maxは一致していることになります。

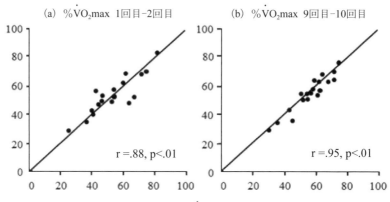

(a) %V̇O₂max 1回目-2回目　　　(b) %V̇O₂max 9回目-10回目

図7-3. 快適自己ペース走における%V̇O₂maxの試行間の関係（橋本, 1997）

　主観的運動強度（RPE）に関しては，有意な相関係数はみられませんが，これは図7-2でみましたように，選択される数値の幅が小さいためと考えられます。「快適自己ペース」はRPEで12前後が選択されますので，「楽ではないがややきつくもない」という，きつさの感覚といえます。

　以上に示しましたように，「快適自己ペース」という運動強度は，走行スピード，心拍数，%V̇O₂maxのどれをみても相関係数は1回目からきわめて高く，試行を繰り返すほどにr=1.0に近づき，一致してくることがわかります。

　このことから，「快適自己ペース」という運動強度には一貫性が認められる

といえます。また，標準偏差が大きいことから，人によって「快」を感じるペースは異なり，幅がありますが，このことはまさに「快適自己ペース」は個々人に合った運動指導が可能となることを意味しています。

2節　ポジティブ感情を最大化させる至適運動強度としての快適自己ペース

　身体的効果をもたらすための運動処方の原則は，運動の頻度，強度，時間，種類を個々人に合わせて運動プログラムを作成することであり，有酸素性運動での運動強度は中等度強度が推奨されています（アメリカスポーツ医学会，2011）。しかし，ここには運動の安全性と効果という視点はあっても，運動の継続という視点はありません。運動の継続は，運動者の心理に規定されますので，運動に伴うポジティブ感情の醸成は重要であり，この視点から至適運動強度を考える必要があります。

　「快適自己ペース」は図7-4に示しますように，運動後のポジティブ感情を最大化するための至適運動強度とみなしていますので，運動強度とポジティブ感情の関係は逆U字関係になると考えられます。「快適自己ペース」の運動強度とポジティブ感情の関係を低強度の選択者Aと高強度の選択者Bについて仮

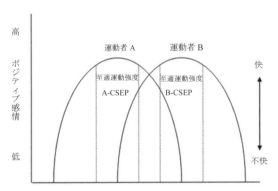

図 7-4．快適自己ペース（CSEP）とポジティブ感情の
　　　　関係（橋本，2000）

説的に図示してみました（橋本, 2000）。縦軸はポジティブ感情のレベルであり，横軸は運動強度を表しています。運動者Aと運動者Bの選択した「快適自己ペース」はそれぞれ異なりますので，客観的な運動強度は異なることになります。しかし，運動者Aも運動者Bも「快適自己ペース」は不快を感じないペースであるため，それよりも運動強度が高くても低くても不快を感じることになり，「快適自己ペース」とポジティブ感情の関係は逆U字型曲線となることが推測されます。このことが証明できれば，「快適自己ペース」は運動に伴うポジティブ感情を最大化する至適運動強度の設定法といえることになります。

　そこで，丸山（2003）は，男子大学生12名を対象にトレッドミル上を15分間の「快適自己ペース」を基準に5段階の異なる運動強度で走行させ，運動終了直後の良い―悪い感情を測定するFS（Feeling Scale）尺度と快適感を測定するCFS（Comfortable Feeling Scale）尺度を用いて感情状態を調べています。

　運動強度は「快適自己ペース」を中心として，それより10%，15%高い強度と，10%，15%低い強度としています。運動強度としての心拍数とRPE（胸のきつさ）を図7-5に示しました。心拍数も主観的強度のRPEも，-15%CSEPから+15%CSEPまで直線的に増加していますので，運動強度の設定は適切に行われていることになります。

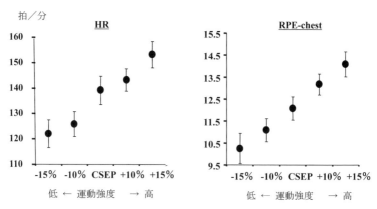

　　図7-5.　CSEPを中心とする5つの運動条件における心拍数とRPE
　　　　　（丸山, 2003）

しかし，図7-6で示しますように，FS（Feeling Scale：良い感情）とCFS（Comfortable Feeling Scale：快適感）の感情得点をみますと，「快適自己ペース」でのランニングのときに最高値を示し，運動強度が高くなるほど，また低くなるほど運動直後のポジティブな感情得点（FS, CFS得点）は低下し，明らかな逆U字型曲線の関係を示しています。つまり，ポジティブな感情が最も高くなる至適運動強度は存在し，それよりも高くても低くてもポジティブな感情の応答は小さくなるのです。このことから，「快適自己ペース」は運動に伴うポジティブ感情を最大化する至適運動強度の設定法であるといえることになります。

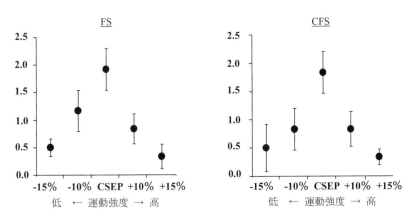

図 7-6. CSEP を中心とする 5 つの運動条件における RPE と FS の感情得
　　　（丸山，2003）

文　献

アメリカスポーツ医学会（2011）：アメリカスポーツ医学会（編），日本体力医
　　　学会体力科学編集委員会（監訳）：運動処方の指針−運動負荷試験と運動
　　　プログラム，原書第 8 版，南光堂，2011.
橋本公雄・斎藤篤司・徳永幹雄・丹羽劭昭（1997）快適自己ペース走の運動強
　　　度とポジティブな感情に及ぼす影響. 日本スポーツ心理学会第24回大会

研究発表抄録集，B-4.

橋本公雄（2000）運動心理学の課題—メンタルヘルスの改善のための運動処方の確立を目指して—．スポーツ心理学研究, **27(1)**: 50-61.

丸山真司（2003）長時間運動中の快適自己ペースの調整と感情，運動強度および疲労度との関係．九州大学人間環境学府平成 14 年度修士論文.

斉藤篤司・橋本公雄・高柳茂美（1994）運動による心理的「快」の生理的裏付けと運動処方への応用の検討．体力研究, **85**: 146-154.

第8章　快適自己ペース走に伴う感情変化

　「快適自己ペース」は，運動後のポジティブ感情の醸成と運動の継続化を意図して提唱されている自己決定型の自己選択された主観的な運動強度のことです。本章では，この「快適自己ペース」での運動強度を用いたランニング，つまり「快適自己ペース走」によってポジティブ感情やネガティブ感情がどのように変化するのか，いくつかの研究の結果をみていきたいと思います。

1節　快適自己ペース走に伴う感情の変化過程

1．運動前・中・後・回復期におけるポジティブ感情の変化過程

　ここでは，「快適自己ペース走」に伴うポジティブ感情（快感情，リラックス感，満足感）とネガティブな感情（不安感）の変化過程を3つの研究をとおしてみていくこととします。

　1) 快適自己ペース走前・後，および回復期のポジティブ感情の変化
　まず，「快適自己ペース走」に伴う「快感情」「リラックス感」「満足感」のポジティブ感情（MCL-3感情尺度）の変化過程をみてみたいと思います。
　男子大学生17名を被験者 として，トレッドミルを用いた15分間の「快適自己ペース走」を実施し，運動前・後・回復期30分の感情を測定してみました（橋本ら, 1995）。走行前には「快適自己ペース」の設定の仕方を説明し，最初の5分間で快適と感じるペースをトレッドミルの速さを変えるコントロールボタンで微調整させ，その後10分間は変更せず一定のペースで走行させています。この研究方法はトレッドミルを用いた実験では，すべて同一です。
　「快適自己ペース走」時の後半10分間の運動強度は，心拍数で155.0±20.45拍／分，最大酸素摂取量に対する割合（%$\dot{V}O_2$max）で60.7±9.60%, RPEで12.6±1.58

でしたので，被験者全体では中等度の運動強度を示しています。

　運動に伴う「快感情」「満足感」「リラックス感」の変化過程を図8-1に示しました。各感情尺度得点の変化が比較できるように，運動前の各感情尺度得点を基準にTスコアを算出し，図示しています。「快感情」は，運動終了後に有意な増加がみられ，その後減少しますが，回復期30分でもまだ運動前値より有意な増加を示していました。「満足感」も運動直後に有意に増加しましたが，回復期30分の「満足感」は減少し，運動前値との間に有意差はなくなりました。「リラックス感」は，運動終了直後では，運動前に比べ有意な増加ではありませんでしたが，回復期30分でさらに増加し，運動前値より有意に高い値を示していました。

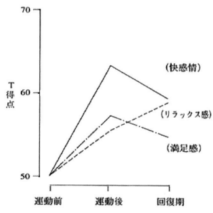

図8-1.　快適自己ペース走に伴う
　　　　ポジティブ感情の変化過程（橋本ら，1995）

　このように，わずか15分間の「快適自己ペース」という主観的な運動強度を用いたランニングで，運動後に，「快感情」「満足感」「リラックス感」の増加がみられ，ポジティブな感情状態になることがわかりました。「快感情」と「満足感」は類似した変化過程を示しましたが，「快感情」のほうが「満足感」より運動後の増加は大きいようです。しかし，「リラックス感」は運動終了直後より回復期においてさらに増加し，運動終了から30分後に最高値を示すこ

とが判明しました。

　これらの結果から，「快適自己ペース走」に伴うポジティブ感情の変化過程は，感情の成分によって異なることがわかりました。また，私たちは運動後に爽やかな「心地よい気分」になることを経験していますが，この心理現象は，運動後30分に出現し，「快感情」と「リラックス感」の増加が影響していると推察されます。

2) 快適自己ペース走に伴うポジティブ感情の持続時間

　前述した研究では，いくつか補完しなければならない点があります。それは，まず15分間の運動中の感情状態の変化が詳細には調べられていないこと，もう1つは15分間の「快適自己ペース走」によるポジティブ感情の増加の持続時間が回復期30分しか調べられていないことです。

　そこで，これらの問題を解決するため，つぎに男子大学生18名を被験者に同様の方法で「快適自己ペース走」を実施し，「快感情」「リラックス感」「不安感」の感情状態（MCL-S.1感情尺度）の変化過程（回復期90分間）を詳細に調べることにしました（橋本ら，1996）。感情の測定時間は，運動前，運動中（運動開始5分後，10分後），運動終了直後，回復期（運動終了15 分後，30分後， 60 分後，90分後）の合計8回です。

　運動後半10分間の「快適自己ペース」の運動強度は，心拍数で146.3±13.83拍／分，相対的運動強度で51.9±7.50%VO_2max, RPEで12.1±0.71でしたので，やはりこれらの数値はすべて中等度の運動強度を示していることになります。

　結果を図8-2に示しました。「快感情」は運動開始後5分ですでに有意な増加がみられ，運動終了まで漸増し，運動終了直後に増加のピークを示しています。その後，回復期において減少していきますが，回復期60分まで運動開始前より有意に高い値を示していました。「リラックス感」は「快感情」と類似した変化過程を示しますが，回復期30分まで増加し，最高値となっています。その後，「リラックス感」は減少し，回復期60分まで運動前値に比較して有意に高い値を示していました。一方，「不安感」は運動開始5分で有意な低下を示し，その後回復期90分まで有意な低下を継続したままでした。

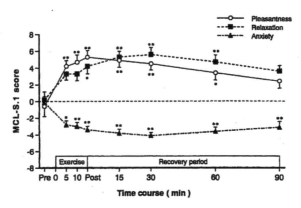

図8-2. 快適自己ペース走に伴う
感情の変化過程（橋本ら，1996）

　以上に示ましたように，15分間の「快適自己ペース走」によって運動開始5
分ですでにポジティブ感情（快感情）の増加とネガティブ感情（不安感）の減
少がみられ，「快感情」は運動終了直後に，「リラックス感」は回復期30分で
最高値となり，運動終了後少なくとも1時間はこのような感情状態が維持され
ることが明らかとなりました。また，先の研究（橋本ら，1995）と同様，「快
感情」と「リラックス感」の増加のピークは，変化過程において時間的ずれが
みられ，「リラックス感」は「快感情」より遅れて現れることも再確認されま
した。

　感情変化の持続時間は運動の強度や時間と関係するものと思われます。ラグ
リンとモーガン（Raglin & Morgan, 1987）は，本研究より長い40分間の選択的
な運動を行わせ，状態不安の減少が2〜3時間続いたことを報告し，シーマン
（Seeman, 1978) やモーガン（Morgan, 1985）も激しい運動強度を用いて，状
態不安の減少がやはり2〜4時間持続したことを明らかにしています。また，セ
イヤー（Thayer, 1987) は10分間という短時間ですが，急歩の運動を行わせ，
運動開始から30分後（運動終了後20分）に活気の増加と緊張の減少を見い出す
とともに，それらは運動後2時間続いていたことを報告しています。このよう
に他の研究では，15分間の「快適自己ペース走」を行ったときより，長い時間
感情の変化は続くことが指摘されています。

　ところで，状態不安は激しい運動強度で運動中に増加し，回復期20〜30分後

に運動前の運動前値を下回ることが認められています (Morgan, 1973; Morgan & Horstman, 1976)。しかし，不安状態を低下させるのに，高強度の運動を行わせるというのは危険性を考えると現実的ではありません。本研究に示されるように，「快適自己ペース」という主観的な運動強度を用いますと，「不安感」は増加せず，運動中から減少します。よって，「快適自己ペース」を用いたジョギングやランニングでは，「不安感」の減少から推測しますと，むしろ自信をもって走行することができ，ポジティブ感情が得られるものと推察されます。

ここでは，15分間の「快適自己ペース走」でしたが，運動開始5分後にはポジティブ感情の増加とネガティブ感情の減少がみられますので，感情変化を得るためには，5分間の運動でもよいといえるでしょう。

3）運動終了直前・直後のポジティブな感情の変化

前述した研究では，運動開始10分から運動終了直後にかけて「快感情」と「リラックス感」は増加し，「不安感」は減少していました（図8-2）が，運動終了直前（1分前）と終了直後（1分後）の感情状態はどのようになっているのでしょうか。運動終了直前は運動遂行自体による運動ストレスが掛かっていますが，運動終了直後はその運動ストレスから解放されます。したがって，運動終了直前と直後では，感情状態は異なり，運動ストレスにより抑制されていたこれらの感情は運動終了直後に急激に増加することが考えられます。

そこで，男子大学生20名を被験者に，「快適自己ペース走」における運動終了直前（1分前）と直後（1分後）のポジティブな感情を調べ，感情の変化に及ぼす運動ストレスの影響を検討することにしました。「快適自己ペース走」時の運動強度は 139.2±13.88 拍/分，54.5±11.68%$\dot{V}O_2$ max であり，中等度強度を示していました。

運動終了直前・直後の感情変化を図8-3に示しています。予想していたとおり，運動終了直前から直後にかけてポジティブな感情の顕著な増加がみられました。運動後の不安の低減を説明する仮説として「相反過程仮説」があります（第3章参照）。これは運動中に生起した感情とは逆の感情が運動後に生起するというものです（Solomon, 1980）。つまり，激しい運動によって不安状態は亢進しますが，運動後はその反動で逆に不安が低減する（「リラックス感」が生じる）と解釈されています（Morgan, 1985）。しかし，「快適自己ペース」を用いた運動では，運動中に不安状態は生起していないにもかかわらず，運動終了直前より直後に「快感情」と「リラックス感」の増加がみられます。この

ことは，相反過程仮説では説明できません。よって，運動による反動というより運動による抑制が解除させると考えたほうが，説明がつくかと思います。それゆえ，運動終了直後のポジティブ感情の増加は，新たに「運動の抑制解除仮説」というものが提案できるかもしれません。

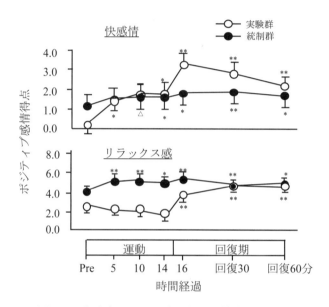

図8-3．快適自己ペース走に伴う感情変化
―終了直前と直後の比較―（橋本，未発表）

２．運動に伴う「快感情」の変化量への試行回数の影響

　「快適自己ペース走」に伴うポジティブ感情（快感情とリラックス感）の増加とネガティブ感情（不安感）の減少がみられることを述べましたが，同一被験者に「快適自己ペース走」を何度実施しても，同様のポジティブ感情の増加がみられるのでしょうか。

　そこで，このことを確認するために，男子大学生19名を被験者として，週1～2回の間隔で10施行の「快適自己ペース走」を実施し，「快感情」の増加量

を調べてみました。「快感情」「リラックス感」「不安感」をMCL-S.2感情尺度で調べていますが，ここでは「快感情」の運動前後の変化量のみを図8-4に示しました。

　運動後の「快感情」は，10試行とも有意な増加量がみられています。11試行目はトレッドミル上に置かれた椅子に15分間座位安静の状態を保持していただけですので，運動は行っていません。よって，「快感情」の増加量はみられません。10試行における「快感情」の増加量は分析の結果，すべて有意な増加でしたが，試行回数の影響がみられ，「快感情」の増加量は1回目が最も大きく4回目まで減少し，それ以降では安定した増加量でした。

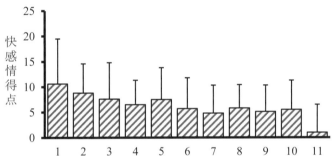

図 8-4．10 施行の「快適自己ペース走」に伴う快感情の変化量
（ただし、11 施行目はコントロール条件）（橋本，未発表）

　この結果は，「快適自己ペース」の運動強度を用いたランニングでは，運動後の「快感情」の増加は何回行っても同様の効果が得られるということを意味しています。しかし同時に，初期の段階で大きな効果が得られることが判明しました。このことは学習における「初頭効果」と類似しています。実験を行う前は，試行回数を増やすたびに「快感情」の増加量は増えると予想していましたが，結果は逆でした。

　しかし考えますと，この「初頭効果」が運動に伴う感情の変化量にもみられるということは非常に興味深いことと考えています。「快適自己ペース」を用いた場合，運動の初期に大きな快感情の増加量が得られますので，運動に対する好意的態度を形成することに役立ち，次回の運動への動機づけとなるからです。たとえば，医者に掛かってすぐに病気が治れば，医者への信頼感は高まり，

つぎに病気をしたときもその医者を頼ることでしょう。これと同じで，運動の「初頭効果」がみられる運動強度は重要な意義があると思います。因みに，これらの実験では被験者には，トレッドミルに慣れるため数回の練習試行は行っていましたが，にもかかわらず，運動に伴う感情変化の「初頭効果」がみられたわけです。

　以上のように，「快適自己ペース」という主観的な運動強度を用いると，必ず運動後に「快感情」が得られるということは明らかです。

３．快適自己ペース走時の相対的運動強度の相違と感情の変化

　「快適自己ペース」は，個々人に固有の「快」を感じるペースが存在することを意味しています。よって，「快適自己ペース走」を行ったとき，人それぞれ客観的な運動強度は異なることになります。では，「快適自己ペース走」を遂行した際，客観的な運動強度が異なっても，運動後にポジティブ感情は得られるのでしょうか。そこで，「快適自己ペース走」時の相対的運動強度（%$\dot{V}O_2max$）と「快感情」の変化の関係をみることにしました。データは先の10試行の研究の「快感情」尺度得点を用いています。

　各試行の「快適自己ペース走」時の相対的運動強度（%$\dot{V}O_2max$）をもとに，高強度運動群6 名，中強度運動群7 名，低強度運動群6 名に分け，運動前後の「快感情」得点の変化を調べ，結果を図8-5に示しています。

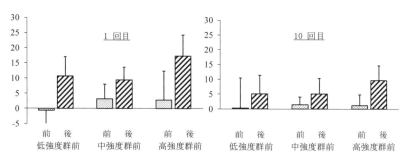

図 8-5．快適自己ペース走時の運動強度別にみた「快感情」の変化
　　　（橋本，未発表）

いずれの運動強度群も運動終了直後に「快感情」の有意な増加がみられました。図では，1回目と10回目の 試行の結果しか掲載していませんが，10回のすべての施行で同様の結果が得られています。このことは， 「快適自己ペース」を用いてランニングを行うと，運動者がどのような走行スピード（運動強度）で走ったとしても，運動後に「快感情」が得られ，客観的な運動強度（%$\dot{V}O_2max$）に規定されないことを意味しています。

　従来，運動後の感情変化は運動強度に規定され，指定された高強度の運動では， 「不安感」が増加し，運動後の回復期に運動前より「不安感」が減少することが報告されています（Morgan, 1985）が，高強度の運動ではポジティブ感情は得られません。しかし， 「快適自己ペース」を用いると，運動者の客観的な運動強度（%$\dot{V}O_2max$）にかかわらず，運動後に「快感情」は得られるわけです。よって， 「快適自己ペース」という運動強度はポジティブ感情を醸成する有効な方法といえます。同時に，このことは運動後にポジティブな感情が得られるのは， 「どの程度の強度で運動をしたか」でなく， 「その運動をどのように感じたか」が重要な意味をもつといえます。

２節　快適自己ペース走による
##　　　ポジティブ感情の変化に及ぼす要因

　15分間の「快適自己ペース走」で「不安感」は減少し，「快感情」と「リラックス感」の増加がみられましたが，走行距離の違いやランニングの嫌いな人でもポジティブ感情は得られるのでしょうか。そこで，短時間での運動における走行距離の相違とランニングの好き嫌いによる感情変化について調べてみました。

１．短時間運動の走行距離の違いによる感情の変化

　体育実技授業などで， 「さあ！ランニングしよう」といわれても，喜ぶ人は少ないと思います。それは身体的，精神的な苦痛感を伴うからです。よって，長時間のランニングでは，その苦痛感を軽減するため，ディソシエーション（分

離：ランニング以外のことを考え，気を紛らわすこと）やアソシエーション（連合：身体や呼吸，あるいはランニング自体に意識を向けること）といった方略がとられます（日本スポーツ心理学，2008）。

　ランニングは一般的に好まれない運動であり，遂行するにはバリア（障壁）が高いと思います。このバリアを取り除く方法の1つに，運動時間を短縮することが考えられます。そこで，陸上グラウンドを用いて，900m（300mトラック3周）と2,000m（400mトラック5周）の短時間の「快適自己ペース走」を実施し，短時間運動でもポジティブな感情の増加が得られるかどうかを調べてみました（橋本ら，2012）。しかし，先の研究（橋本ら，1996）でみましたように，「快適自己ペース走」では，運動開始5分で有意な感情変化が認められましたので，フィールドを用いた900m走でもポジティブ感情は得られるのではないかと思われます。

　被験者は大学体育実技授業を受講した男女学生の900m群54名，2,000m群120名です。走行前に「快適自己ペース（CSPR）」をつかませるための言語教示を与え，1人ずつ15秒おきに走行させ，「快感情」「リラックス感」「不安感」の感情状態（MCL-S.2尺度）を測定しました。両群の運動強度は走行スピード，心拍数，%HRmax，RPEで表8-1に示しています。走行スピードは両群間に有意差がみられ，900m群のほうが有意に速かったのですが，その他の運動強度に相違はありませんでした。これらの運動強度はやや高い中等度強度といえます。

表 8-1.　900m と 2,000m の快適自己ペース走時の運動強度

	900m群 n=54		2,000m群 n=120		分散分析
	M	SD	M	SD	
スピード	202.8	28.92	177.3	59.45	8.983**
心拍数	154.5	26.87	160.8	32.92	1.503
%HRmax	77.6	14.13	79.3	16.46	0.406
RPE	12.9	1.84	13.2	2.73	0.372

** p<.01

　感情の変化を図8-6でみてみますと，両群とも「快感情」は運動後に増加し，「リラックス感」と「不安感」は減少するという類似した変化を示しました。

しかし，「快感情」に関しては，900m群の短い距離より2,000m群のほうがより大きな増加がみられました。このように，900m より2,000m の長い距離のほうが「快感情」の増加は大きいようですが，両群とも運動後にポジティブな感情は得られています。よって，「快適自己ペース」を用いたランニングでは，900mという短時間でも「快感情」は得られ，「不安感」は減少するといえます。「リラックス感」は回復期に増加しますので，これらのデータからだけでは運動後に減少するとはいえません。

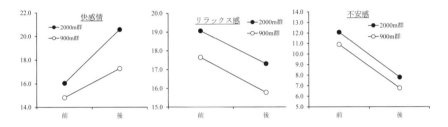

図8-6. 短時間運動の走行距離の違いによる感情変化（橋本ら，2012）

2．ランニング嫌いな人にも快適自己ペースは適用できるのか

　「快適自己ペース」を用いると，運動後にポジティブな感情が増加するといっても，ランニングの嫌いな人にとってはどうでしょうか。課題の好き嫌いは感情の変化に大きく影響する可能性があります。よって，ランニングが嫌いな人は，「快適自己ペース走」であっても，運動後のポジティブな感情は得られないかもしれません。そこで，ランニングの好き・嫌いで群分けをして，「快適自己ペース走」後のポジティブ感情の変化の相違を調べてみることにしました（橋本ら,1993）。

　被験者は大学体育実技授業を受講した男子学生 104名です。周囲約2kmのランニングコースを有する公園を1分間間隔で2〜3名1組となり，会話をしながらの「快適自己ペース走」で1周周回させ，ポジティブ感情を測定しました。その際，①話しながら走ること，②始めから終りまで同じペースで走ること，③ランニング中，周囲の環境も見ながら走ること，④終わってもまだ十分に走れ

る余裕を残しておくこと，⑤ランニング中，苦痛感をともなわないように走ることと，注意事項を与えました。この研究は「快適自己ペース」を用いての初期の研究でしたし，大学の体育実技授業を用いての実験でしたので，2〜3人1組で実施しましたが，「快適自己ペース走」の効果をみるためには本来1人ずつ実施することが望ましいと考えています。

　ここでは，「快感情」「リラックス感」「満足感」について，運動前後でポジティブ感情（MCL-3尺度）を測定しています。「快適自己ペース走」時の運動強度は，運動終了直後に脈拍数を触診法によって測定し，所要時間を計測しました。ランニングの好き嫌いはランニング遂行（ランニングすること）に対して好き・嫌いの2件法で回答を求め，ランニングの好意群と非好意群の分類に用いています。公園1周の所要時間は13.1±1.52分（分速155.1m/分）で，終了直後の脈拍数は152.0±23.90拍／分でした。

　ランニングの好意群・非好意群別の感情尺度得点の変化を図8-7に示しています。なお，図は実施前の平均値と標準偏差を基準としてT得点を算出し，プロットしたものです。「快感情」と「満足感」では，ランニングの好意群も非好意群も，運動後に有意な増加が認められましたが，ランニングの好意群のほうが非好意群より大きな増加でした。「リラックス感」では，ランニングの好意群は運動後に増加の有意傾向を示しましたが，回復期は調べられていませんので，このデータだけではわかりません。

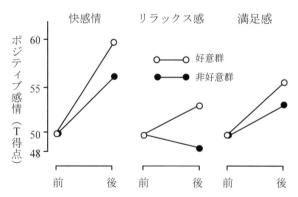

図8-7. ランニングの好き嫌いからみた快適自己ペース走後の
感情変化（橋本ら、1993）

このように，ランニングの嫌いな者は好きな者より運動後の「快感情」と「満足感」といったポジティブ感情の増加は小さいようですが，運動前より顕著に増加しています。このことは「快適自己ペース」という運動強度は運動の好き嫌いに関係なく，運動後にポジティブな感情が得られるといえます。

　ところで，ランニングの嫌いな者が好きな者よりポジティブな感情の増加が少なかったのは，恐らくランニングすること自体でネガティブな心理的ストレスが生じ，ポジティブ感情の増加が抑制されたためと考えられます。モーガンら（Morgan, et al. 1980）は運動による不安低減効果に関して，課題への認知や知覚が影響していると述べています。よって，運動による心理的効果は単に運動を遂行したことが影響しているのではなく，運動課題に対する認知や知覚，たとえば本研究のように，課題の好き嫌いといった運動遂行者の心理的要因も影響しているといえます。しかし，「快適自己ペース走」を用いると，ランニングが嫌いな人でもポジティブな感情が得られることは間違いありません。

　学生の感想をみると，「授業の前は持久走が嫌で嫌で仕方なかったけど，実際は走って気持ちよかったし，さわやかな気分になった。快適自己ペースというのが本当にあったのだと，実際走ってみてびっくりした」や「今日はとても暑く，自分が走りきれるかと思っていたが，快適自己ペースを探し，終了後気分もよくなって，リラックス感も一層感じた」と，運動前はランニングに対するネガティブな認知であったにもかかわらず，運動後にポジティブ感情が得られることの結果は大きいといえます。

　多くの人に好まれないランニングであっても「快適自己ペース」という主観的な運動強度を用いればポジティブ感情が得られるということです。ただこの実験では，2～3名1組になり，会話させながら「快適自己ペース走」を行っており，ディソシエーションを取り入れていますので，その影響も否定できません。純粋に運動の効果をみるためには，単独走を用いて運動の好き嫌いの感情に及ぼす影響を確認する必要はあるでしょう。

　以上のように，「快適自己ペース走」を用いたランニングでは，実験室であってもフィールドであっても，また客観的な運動強度の違い，ランニングの好き・嫌い，走行距離（運動時間）にかかわらず，運動後にポジティブな感情が得られるという運動の心理的効果が指摘できます。

文　献

橋本公雄・徳永幹雄・高柳茂美・斉藤篤司・磯貝浩久 (1993) 快適自己ペース
　　走による感情の変化に影響する要因－ランニングの好き嫌いについて
　　－. スポーツ心理学研究 **20 (1)**: 5-12.
橋本公雄・斉藤篤司・徳永幹雄・高柳茂美・磯貝浩久（1995）快適自己ペース
　　走による感情の変化と運動強度. 健康科学, **17**: 131-140.
橋本公雄・斎藤篤司・徳永幹雄・花村茂美・磯貝浩久（1996）快適自己ペース
　　走に伴う運動中・回復期の感情の変化過程. 九州体育学研究, **10 (1)**: 31-
　　40.
橋本公雄・本田芙美子・村上雅彦（2012）短時間の快適自己ペース走における
　　運動強度と感情変化に及ぼす走行距離の影響—900m と2000m のフィ
　　ールドを用いて—. 健康科学, **34**: 1-8.
Morgan, W.P. (1973) Influence of acute physical activity on state anxiety. *Proceeding
　　of National College Physical Education Meet*, pp. 113-121.
Morgan, W.P. & Horstman D.H. (1976) Anxiety reduction following acute physical
　　activity. *Medicine and Science in Sports*, **8**: 62.
Morgan, W.P., Horstman, D.H. Cymerman, A. & Stokes, J. (1980) Exercise as a
　　relaxation technique. *Primary Cardiology*, **6**: 48-57.
Morgan, W.P. (1985) Affective beneficence of vigorous physical activity. *Medicine and
　　Science in Sports and Exercise*, **17(1)**: 94-100.
日本スポーツ心理学会（2008）スポーツ心理学事典. 大修館書店, pp.545-546.
Raglin, J.S. & Morgan, W.P. (1987) Influence of exercise and quiet rest on state anxiety
　　and blood pressure. *Medicine and Science in Sports and Exercise,* **19(5)**: 456-
　　463.
Seeman, J.C. (1978) Changes in state anxiety following vigorous exercise. Unpublished
　　master's thesis University of Arizona.
Solomon, R.L. (1980) The opponent-process theory of acquired motivation. *American
　　Psychologist*, **35(8)**: 691-712.
Thayer, R.Z. (1987) Energy, tiredness, and tense on effects of a sugar snack versus
　　moderate exercise. *Journal of Personality and Social Psychology*, **52(1)**: 119-
　　125.

第9章　快適自己ペースの運動継続化と
健康・体力づくりの指導への適用

　運動を推奨する際，運動の効果の情報提供はもちろんのことですが，運動の継続化も考慮する必要があります。しかし，運動指導現場では経験則に基づいてどのようにして運動を継続させるか，四苦八苦しているのが実情ではないでしょうか。運動を継続するためには，運動者が運動をすることで「快感情」「リラックス感」「満足感」などのポジティブな感情を体験することが最も重要なことであると思います。

　このことについては，すでに第3章の「運動継続化の螺旋モデル」でも解説してきましたし，前章では，「快適自己ペース走」後のポジティブな感情の増加について述べてきました。では，「快適自己ペース」は運動の継続化に本当に有効なのでしょうか。そこでここでは，運動の継続化における「快適自己ペース」の有効性と健康・体力づくりの指導への適用について述べてみたいと思います。

1節　運動継続における快適自己ペースの有効性

1．ポジティブ感情の醸成の意味

　運動に伴う感情の変化は運動の強度によって異なります。一過性の高い運動強度では，緊張，不安，疲労感などのネガティブな感情が生じ，長期的な高強度の運動では気分や感情の障害を引き起こすことが明らかにされています（Berger & Owen, 1992; Morgan, et al., 1988）。このように，高強度の運動ではポジティブな感情は得られませんので，運動の継続化は難しくなります。よって，運動後のポジティブな感情を醸成するためには，運動者にとって適切な運動強度を設定する必要があるわけです。

しかし，現在の運動処方に用いられている個々人の最高心拍数や最大酸素摂取量（$\dot{V}O_2max$）の割合で提示される相対的運動強度による設定法は，運動の効果と安全性を考慮して検討されていますが，運動後のポジティブ感情の獲得という発想はありません。まして運動の継続化という視点もありません。

　運動パフォーマンスの向上のためのトレーニングや生活習慣病の治療のための運動療法でしたら，運動の効果を最重要視することは当然ですが，一般の健常者の人たちの健康の維持増進においては，運動の効果もさることながら運動の継続化を視野に入れるべきであると思います。なぜなら，運動の効果は必ずしも継続につながるとは限りませんが，運動の継続は必ず効果を生むからです。

　これまでの運動心理学の領域でも，主に運動の心理的効果に焦点があてられ，その成果を追い求めてきました。その一方で運動の継続に関しては，社会的認知理論やトランスセオレティカル・モデルで提示されている行動変容技法の効果の研究も行われています。しかし，これまでみてきました「快適自己ペース」という主観的な運動強度を用いると，運動後に「不安感」は低下し，「快感情」「リラックス感」「満足感」などのポジティブ感情が醸成できますので，運動継続にも有効と考えられます。これを立証していくには実験条件の設定が難しく，実はまだそれは行われていません。ただ，運動に伴うポジティブ感情は，つぎの運動への動機づけとなります。デシとライアン（Deci & Ryan, 1985）の自己決定理論における内発的動機づけは，運動すること自体への楽しさの知覚であり，ここで初めて自律的な行動となり，運動の継続がなされることになるわけです。よって，健康・体力づくりの運動においては，運動すること自体の楽しさ，つまり心地よい気分やポジティブ感情を醸し出す運動を考えることは自明の理といえます。

　この運動による心理的効果を意図して考えられた主観的な運動強度が「快適自己ペース」であり，運動の継続化に対し，相対的運動強度（%$\dot{V}O_2max$や%HRmax）よりも効果的と考える所以です。第8章で示しましたように，「快適自己ペース」という運動強度を用いたランニングでは，ランニングの好き嫌いや実際の客観的な運動強度にかかわらず，運動後に必ず「快感情」などのポジティブな感情は増加するのです。このポジティブ感情の獲得は運動の遂行にとって重要な要素であり，継続に役立つと考えている次第です。

2．快適自己ペース走によるポジティブ感情の獲得と
　　好意的態度の形成

　第 2 章で説明した計画的行動理論は，行動に対する「態度」「主観的規範」
「行動の統制感」の 3 つの予測因で構成されていますが，これらの要因が高ま
ると，「行動意図」が高まり，運動行動が生起するという心理的なメカニズム
を示しています。よって，それぞれの予測因を高めることが運動行動の継続化
につながることになります。このなかの「態度」は行動に対する評価的・感情
的な側面を指し（Ajzen, 1985），「行動意図」の重要な要因であることは多くの
運動行動の研究で実証されています（Armitage & Conner, 2001; Hausenblas, et al.,
1997)．ここでの態度は，たとえば運動することは，良い，役に立つといった評
価や，楽しい，面白い，心地よいといったポジティブな評価・感情ですので，
これらが体験・経験されると，運動遂行に対する好意的な態度が形成されるこ
とになります。
　しかし，運動すれば必ずポジティブな感情が得られるかというとそうではあ
りません。経験的にもわかると思いますが，運動強度の強さによって生起する
感情状態はさまざまだからです。したがって，運動に対する好意的態度の形成
を図るためには，常にポジティブな感情が醸成されるような運動強度を設定す
る必要があります。そのような運動強度は心理学的視点からの至適運動強度と
なることでしょう。現在，健康・体力づくりの指導現場で用いられている相対
的運動強度（%$\dot{V}O_2$max や%HRmax）でもって至適運動強度が論じられていま
すが，その強度が運動後のポジティブな感情状態を最大化するわけではありま
せん。
　「快適自己ペース」という主観的な運動強度を用いた運動（ランニングやウ
ォーキング）では，「快感情」の増加量を最大化しますので（第 7 章参照），「快
適自己ペース」は運動に伴うポジティブ感情を最大化させる至適運動強度の設
定法といえるでしょう。「快適自己ペース」は運動に対する好意的態度の形成
に有効であり，ひいては「行動意図」を高めることになりますので，運動の継
続に寄与することになると考えられるわけです。

3．快適自己ペースを用いた運動の継続化への可能性

　「快適自己ペース」という主観的な運動強度を用いて運動を行ったとき，それが継続に役立つかどうかを検証する必要がありますが，長期間の運動となりますので，被験者の統制が難しく，実際にはまだ検証されていません。諸外国においてもポジティブ感情が運動の継続に寄与するであろうと述べる研究者はいますが，それを実証した研究はありません。

　そこで，ウォーキング事業で快適自己ペース歩行（CSPW: Comfortable Self-Paced Walking）を用いて試みた運動の継続率のデータ（村上ら, 2004）を紹介することにします。C市が健康づくりのために企画した3か月間の非監視型のウォーキング事業で，ウォーキングを継続させるためのさまざまな方法を提供し，その介入効果を調べています。この事業では，1日に10分間のウォーキング実施を1ポイントとし，3か月間の期間内にC市が設定する目標ポイント（300ポイント）を達成した人には，事業終了後に行われる抽選会で，豪華商品が獲得できる抽選の権利を付与するという外発的動機づけがなされたものです。なお，介入群にはウォーキングの方法としては，「快適自己ペース」と「運動継続化の螺旋モデル」の構成概念（第3章参照）を説明し，推奨しています。

1）　介入内容

　まず，事業参加者全員151名に対し，Faxかメールアドレスをもっている人には，運動の効果に関する情報を毎週提供することを伝え，情報提供の希望者を募りました。その結果，77名の希望者があり，この希望者を介入群とし，希望しなかった人を非介入群（74名，男児1名，女児3名含む）としました。また，介入群は運動の効果と「快適自己ペース」や「運動継続化の螺旋モデル（橋本, 2010, 第3章参照）」などの運動継続への情報を提供する「継続促進群」（38名，女児1名含む）と運動の効果のみの情報を与える「認知情報群」（39名，男児1名含む）に無作為に割り付けました。ウォーキングを事業開始前3か月間に運動を習慣的に行っていた人は，継続促進群で66.6%，認知情報群で64.9%，非介入群で72.6%%であり，3群間に相違はありませんでした。ただし，子どもと不完全回答者を除く134名を分析の対象としています。

　介入の内容は表9-1に示すとおりです。介入群も非介入群もウォーキングの実施を記録していくセルフ・モニタリングノートの配布は共通しています。介入群は，2群に分けていますが，運動の心身に対する効果の情報提供は共通し

ています。継続促進群と認知情報群の違いは，「快適自己ペース」と「運動の継続化の螺旋モデル（第3章参照）」に関する情報（A4版1枚）が提供されるかどうかということです。

表 9-1. ウォーキング継続化への介入の内容

内　容	介入群		非介入群
	継続促進群	認知情報群	
セルフモニタリングノート	○	○	○
運動の心身に対する効果	○	○	×
快適自己ペースと運動の継続化	○	×	×

2) 介入方法
　毎週金曜日に Fax とメールを用いて，運動の身体的効果と継続化に関する内容を計 12 回提供しました。情報は一方的に提供するだけで，参加者とは一切連絡は取っていません。

3) 過去の運動習慣の有無からみたウォーキングの継続率
　ウォーキング事業参加前に運動習慣のある人とない人とでは介入効果に相違がみられることも考えられるため，過去 3 か月間の運動習慣の有無から，介入群と非介入群のウォーキング継続率を比較しました。結果を図 9-1 に示しています。運動習慣があった人においては，継続促進群も認知情報群も継続率は 90.0% 以上と非常に高かく，3 群間の差はまったくみられていません。しかし，運動習慣がなかった人（始めてウォーキングを始めた人）においては，介入効果が顕著です。ウォーキングの継続率は「継続促進群」が 100.0% と最も高く，つぎに「認知情報群」が 84.6% で，非介入群が 76.5% と最も低い結果となりました。

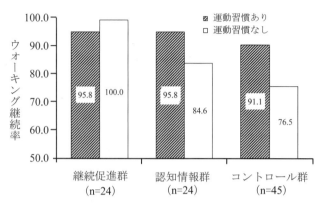

図 9-1. 過去 3 か月間の運動経験の有無からみた 3 群の
ウォーキングの継続率（村上ら，2004）

　以上のように，「快適自己ペース」と「運動継続化の螺旋モデル」を用いた
「運動促進群」の 11 名全員がウォーキングを継続しており，「認知情報群」よ
り高い継続率でした。
　「快適自己ペース」の利点は，日々あるいは運動中の体調や気分の状態によ
ってペースを変更でき，無理なく快適に運動ができますので，運動の継続に役
立つことが考えられます。また，「運動継続化の螺旋モデル」は「快適経験」
「目標設定」「結果の知識」「成功体験」と「身体的資源」の 5 つの構成要素か
らなります（橋本，2000b: 2010）が，これらの情報は介入群のウォーキング継
続への内発的動機づけを高める効果があったものと考えられます。
　よって，この結果はこれから運動を始めようとする人に対し何らかの情報を
与える際，運動の効果だけでなく，如何にしたら継続できるか，その方法と情
報提供が重要であることを示唆しています。ただ，この研究結果では，ウォー
キングの継続化に向けて「快適自己ペース」だけの効果をみたものではないこ
とを付記しておく必要はあります。

2節 健康・体力づくりにおける快適自己ペースの適用

1. 快適自己ペースを用いた研究成果の総括

　「快適自己ペース」という主観的な運動強度は，有酸素性運動（ウォーキングやランニング）を実施する際の運動強度の設定法を検討したものです。つまり，運動処方における運動の強度，時間，頻度のうち運動強度に対する発想の転換を図ったわけです。その目的は運動の効果はもとより運動の継続化を図るために，運動後のポジティブな感情を最大化するための方法として考案したものです。「快適自己ペース」は，「快適と感じるペースを探してランニングあるいはウォーキングを行ってください」という言語教示で運動強度を自己設定させます。

　この「快適自己ペース」を一般市民の健康・体力づくりや学校体育に適用する前に，これまでみてきた「快適自己ペース」に関する研究の成果を表 9-1 にまとめてみましたので，簡単に説明してみましょう。

　　表 9-1．　「快適自己ペース」での有酸素性運動における
　　　　　　　生理心理学的研究の成果

1	快適自己ペースでの走行スピードは，運動者によって異なる．
2	快適自己ペースという主観的な運動強度には一貫性がある．
3	快適自己ペースでのランニングは中等度の運動強度を示す．
4	快適自己ペースにおける主観的運動強度（RPE）は，11から13の範囲となる．
5	快適自己ペースの安全性は高い．
6	快適自己ペースでのランニングでポジティブ感情が得られる．
7	快適自己ペースは，運動後のポジティブ感情を最大化する．
8	快適自己ペースでは，ランニング嫌いな者でもポジティブ感情が得られる．
9	快適自己ペースでは，不安感情は生じない．
10	快適自己ペースは，ポジティブ感情の最大化を図る至適運動強度の設定法である．
11	快適自己ペースは，運動継続に役立つ可能性がある．

1)「快適自己ペース」での走行スピードは運動者によって異なる。

　「快適自己ペース」での走行スピードは，各自で異なります。よって，人それぞれに「快」を感じるレベルに個人差があることになります。人には「快」を感じるパーソナルテンポ（精神テンポ）があることは明らかにされていますので，これと同じと考えられます。

2)「快適自己ペース」という主観的な運動強度には一貫性がある。

　「快適自己ペース」で走行した際の走行スピード，心拍数，最大酸素摂取量の割合（%VO_2max）の試行間の相関係数（r）はきわめて高い（r>.90以上）ので，再現性高く一貫性がみられます。試行回数が増えるにしたがい相関係数は高くなり，「快適自己ペース」は試行間で一致してきます。

3)「快適自己ペース」でのランニングは中等度の運動強度を示す。

　「快適自己ペース」を用いたランニングでは，運動強度指標の%VO_2maxをみますと，だいたい平均で50%台となり中等度強度に相当することになります。しかし，「快適自己ペース」は中等度でなければならないというわけではありません。

4)「快適自己ペース」における主観的運動強度（RPE）は11から13の範囲となる。

　「快適自己ペース」でランニングを実施しますと，RPEは14ポイントを超える者は稀で，多くの者は11ポイント（きつくない）から13ポイント（ややきつい）という知覚の範囲となります。もちろん「快適自己ペース」がうまくつかめない初期の段階では，この範囲でない者もいます。

5)「快適自己ペース」の安全性は高い。

　「快適自己ペース」でのランニングでは，有酸素運動から無酸素運動に切り替わる変異点である無酸素性作業閾値（AT: Aerobic Threshold）レベルを超えることはほとんどありません。よって，「快適自己ペース」の安全性は高いといえます。

6)「快適自己ペース」でのランニングでポジティブ感情が得られる。

　「快適自己ペース」でのランニングのあと，一貫して「快感情」「リラッ

クス感」「満足感」などのポジティブ感情が得られます。快感情の増加の
ピークは，「快感情」では運動終了直後に，「リラックス感」は回復期に
現れます。つまり，運動終了後30分くらいの回復期に「心地よい気分」が
得られます。

7)「快適自己ペース」は運動後のポジティブ感情を最大化する。
　「快適自己ペース」でのランニングを行うと，運動後の「快感情」「快適
感」「良い感情」などのポジティブ感情は最大となり，「快適自己ペース」
より高い強度や低い強度になるほど，これらのポジティブな感情状態は低
くなります。つまり，運動強度とポジティブ感情の増加の関係は「快適自
己ペース」を中心とした逆U字曲線型となります。

8)「快適自己ペース」では，ランニング嫌いな者でもポジティブ感情が得ら
　れる。
　「快適自己ペース」を用いたランニングでは，ランニングの好き嫌いに関
係なくポジティブな感情が得られます。よって，ランニング嫌いの者には
有効な方法といえます。

9)「快適自己ペース」では，不安感は生じない。
　運動強度が高くなると，不安感は増加しますが，「快適自己ペース」を
用いたランニングでは，不安感は生じません。むしろ低下しますので，「快
適自己ペース走」は自信をもって走行できます。

10)「快適自己ペース」はポジティブ感情の最大化を図る至適運動強度の設
　定法である。
　「快適自己ペース」は運動後に最も高い快感情が得られますので，ポジ
ティブ感情を最大化する至適運動強度の設定法といえます。

11)「快適自己ペース」は運動継続に役立つ可能性がある。
　「快適自己ペース」を用いると，必ず快感情が得られますので，運動に対す
る好意的態度の形成を促し，運動の継続化に役立つ可能性は高いと考えら
れます。

２．運動指導におけるパラダイムの転換

　運動生理学がこれまで確立してきた運動処方では，運動の効果は得られますが，運動の継続化ができないことを指摘する人はいます。つまり，人は運動の効果だけでは継続しないということです。したがって，運動処方のパラダイム転換を図る必要があると考えます。

　従来は，「中等度強度の運動」「20 分以上」「週 3 回以上」がエビデンスに基づく運動処方の基本的な考え方でしたが，運動者はこの基準を遵守しませんので，健康日本 21（第二次）では，強度 3 メッツ以上の身体活動（生活活動，運動）を「週当たり 23 メッツ・時/週行う」（安静時は 1 メッツ時）」と変わっていますし，運動だけでなく日常生活での身体活動の重要性も指摘されています。人は科学的エビデンスに基づく方法では継続はできないので，運動処方の考え方に変化が表れているわけで，これもパラダイム転換の 1 つです。

　また，指導現場では，心拍数ではなく，主観的運動強度（RPE）というきつさのレベルを 6－20 までの指標を用いたものがあり（第 6 章，参照），たとえば 12 程度あるいは 13 程度（ややきつい）で「走ってください」とか「自転車をこいでください」と指示されることがあります。しかし，これは「きつさ」という感情的な感覚をみていますので，主観的ではありますが，効果と安全性を考慮した指示型の中等度強度に相当する運動強度となります。「快適自己ペース」は完全に自己選択・自己決定したものですが，走行の結果，RPE は多くの者が 11－13 の範囲で選択します。

　効果は運動の継続のあとについてくるという視点をもつことは，運動の継続化を優先させるというパラダイムの転換です。そのための方法として，指導現場では最大酸素摂取量を基準とする相対的運動強度（%$\dot{V}O_2max$）や最高心拍数から算出される %HRmax から自己選択・自己決定型の運動強度へ変更することを提案したいと考えています。これがリーズナブルといえます。決して，最大酸素摂取量（%$\dot{V}O_2max$）の測定が不要であるといっているわけではありません。運動者の体力レベルの測定や運動の効果をみる指標としては非常に重要ですし，研究上の体力測定値はこの最大酸素摂取量（%$\dot{V}O_2max$）が国際的な基準となっています。また，個々人の「快適自己ペース」がどの程度の相対的運動強度に相当するかを知る指標として用いることもできます。

　ところで，運動心理学では，自己選択的運動強度として好みの運動強度（preferred intensity）という運動強度が提案されています（Dishman, et al., 1994）。

これはあくまでも運動強度の「好み」であり，心理的なものです。その点，「快適自己ペース」における「快」は生理心理的なものであり，生理心理学的な研究の発展を包含しています。よって，これまでの運動処方は主に運動生理学的な観点からの効果を求める研究であったものから，主観的な運動強度の「快適自己ペース」を用いることによって運動の効果を身体的な側面はもとよりメンタルヘルスを含む心理的側面の効果をみていくことができますので，今後の運動処方の効果の研究が期待されます。

　健康や体力づくり教室では，簡易的に最大酸素摂取量を測定し，それを基準として相対的運動強度（%$\dot{V}O_2max$）を算出し，運動処方として運動者に提供しています。しかし，その運動強度（提供された心拍数やスピード）を運動者はどれだけ従順に守ってランニングやジョギングをし，自転車を漕いでいるのでしょうか。意外と運動者は処方箋として運動メニューをもらっても自分に合った最も適した運動強度を用いて走ったり，自転車を漕いだりしているのではないでしょうか。

　自分に合った最も適した運動強度とは何でしょうか。これが「快適自己ペース」なのです。運動強度を指示してもそれに従わず，自分で決めた強度やペースで運動をしているとしたら，はじめから運動者が自己選択する運動強度をもとに運動処方をしたほうが理にかなっているといえるのではないでしょうか。

3．健康・体力づくりを目指す運動者は有病者ではない

　ここで私たちが考えなければならないのは，健常者と有病者における処方箋の受け止め方は異なるということです。何らかの病気を罹患している有病者は1日も早く治したいという強い動機が働いていますので，医者の処方箋にしたがい従順に薬を服用します。そして，病気が治れば薬の服用を止めます。しかし，運動の場合，健康や体力づくりを行っている運動者は健常者なのです。スポーツ競技大会に出場するとか，競技力を向上するとか，何かのためにトレーニングとして運動を行っている人でしたら運動することに対して強い動機が働きますので，指定された運動処方を遵守し継続することでしょう。しかし，一般人の健康・体力づくりとして運動を行っている人は，健康状態はおそらく悪くないので，それほど強い動機は働かないと思われます。ゆえに，指導者から提示される運動メニューを無理に遵守する必要はないわけです。運動の継続を促すためには，運動に対する好意的態度や運動意欲を高める必要があるわけ

です。

　ところで，健康には目的と手段の二面性があります。つまり，健康づくりを目的とするか，あるいは健康な状態を維持増進して（手段として），さらに高い目的を目指すか，という二面性です。病気治療の補助として運動を行っている人は，指示された運動強度で運動を行うことでしょう。しかし，そうでない人は運動指導者から指定される運動強度が自分に合っていないとすれば，それを遵守する必要はなくなります。あくまでも，提示される相対的運動強度（%$\dot{V}O_2max$ や%HRmax）は運動の効果を求めるための強度であり，運動者が好むとか，運動継続につながるという保証はありません。その点，「快適自己ペース」はポジティブ感情を醸成することから運動に対する好意的態度を形成することになりますので，結果的に運動の継続化につながるといえるでしょう。

４．快適自己ペースはどのような人に適用可能か

　「快適自己ペース」を用いた運動様式としては，ウォーキング（CSPW; Comfortable Self-paced Walking），ランニング（CSPR: Comfortable Self-paced Running），自転車こぎなどの有酸素性運動（トレッドミルや自転車エルゴメーターを用いた運動、写真 9-1、写真 9-2）が考えらます。

写真 9-1. 自転車エルゴメーター　　　　写真 9-2. トレッドミル

　運動指導現場では，指導者が言語教示で「快適自己ペース」を指示できますので，指導しやすい運動強度といえます。その言語教示は「こころとからだと相談しながら不快や快適と感じるペースを探してください。ここでいう快適とは不快を感じない，違和感のないという意味です」というだけです。

実際には，体育授業における走運動の指導，市区町村の行政で開催されている健康づくり教室でのウォーキングや走運動の指導，民間のフィットネスクラブにおけるトレッドミルや自転車エルゴメーターを用いたエアロビック運動の指導，さらには生活習慣病の予防の補助として医師から伝えられる運動指導など，あらゆる運動を指導する場面で適用が可能です。

　しかし，それでもすべての人に通用するかというと限界があります。第1章でみてきましたトランスセオレティカル・モデルの行動変容段階としての，「無関心期」「関心期」「準備期」「実行期」「維持期」からすれば，運動する気もなければやっていない段階の「無関心期」の人には適用は難しいかもしれません。また，「維持期」の人は「快適自己ペース」で遂行していますので，指導は必要ないかもしれません。なぜなら，すでに「快適自己ペース」を獲得しているからです。よって，これから運動を始めようと考えている「関心期」の段階の人，ときどき運動・スポーツを行っている「準備期」の段階の人，そして運動してまだ日が浅い「実行期」の段階の人に適用可能かと考えられます。

　具体的に「快適自己ペース」を用いて有酸素性運動を実施する場合，個々人の「快適自己ペース」やポジティブ感情の変化を理解させる際の方法については，第11章を参照していただきたいと思います。

文　献

Armitage, C.J. & Conner, M. (2001) Efficacy of the theory of planned behaviour: A meta-analytic review. *British Journal of Social Psychology*, **40**: 471–499.

Ajzen, I. (1985) From intention to action: A theory of planned behavior. In J. Kuhl and J. Beckman (Eds.), Action control: From cognitive to behavior (pp.11-39). NY: Springer-Verlag.

Berger, B. G. & Owen, D. (1992) Preliminary analysis of a causal relationship between swimming and stress reduction. Intense exercise may negative the effects. *International Journal of Sport Psychology*, **23 (1)**: 70-85.

Deci, E.L. & Ryan, R.M. (1985) Intrinsic motivation and self-determination in human behavior, NY: Plenum Press.

Dishman, R. K., Farouhar, R.F., & Cureton, K.J. (1994) Responses to preferred intensities of exertion in men differing in activity levels. *Medicine and Science in Sport and Exercise*, **26**: 783-790.

橋本公雄（2000a）運動心理学研究の課題—メンタルヘルスの改善のための運動処方の確立を目指して—．スポーツ心理学研究, **27**: 50-61.

橋本公雄（2000b）運動の継続化モデルの構築に関する研究．九州大学健康科学センター研究報告書，Pp.47.

橋本公雄（2010）運動継続化の螺旋モデル構築の試み．健康科学，**32**: 51-62.

Hausenblas, H.A., Carron, A.V. & Mack, D.E. (1997) Application of the theories of reasoned action and planned behavior to exercise behavior: A meta-analysis. *Journal of Sport & Exercise Psychology*, **19**: 36-51.

厚労省健康（ホームページ）e-ヘルスネット．身体活動・運動，健康づくり身体活動基準 2013. https://www.e-healthnet.mhlw.go.jp/information/exercise/s-01-001.html（2020 年 9 月 18 日参照）

Morgan, W. P., Costill, D. L., Flynn, M. G., Raglin, J. S. & O'connor, P. J. (1988) Mood disturbance following increased training in swimmers. Medicine and Science in Sport and Exercise, **20**: 408-414.

村上雅彦・橋本公雄・西田順一・内田若希・村上貴聡（2004）通信を用いた介入が非監視下のウォーキング継続へ及ぼす効果—快適自己ペースおよび運動継続化の螺旋モデルの適用—．九州体育・スポーツ学研究, **19 (1)**: 1-7.

第 10 章　学校体育における快適自己ペース走の適用

「快適自己ペース」という主観的な運動強度は，人が「快」を感じる一定の固有のペースを指しています。したがって，誰にでもそのペースをつかむことはできます。個々人の体力レベルに応じて算出される相対的運動強度（%$\dot{V}O_2max$）とはまったく異なりますので，運動者の体力（$\dot{V}O_2max$）を測定する必要もありません。

　そこでここでは，体育授業への「快適自己ペース」の導入について，まず，著者が大学体育授業や専門科目のなかで「快適自己ペース走（CSPR: Comfortable Self-Paced Running）」を実施したときの学生の感想を記載し，「快適自己ペース走」の効果について述べ，そのあとで小・中・高の先生方に走運動（持久走）指導の現状と課題を語っていただくことにします。

1節　大学体育授業での快適自己ペース走実施後の感想

　大学の対面授業と遠隔授業で「快適自己ペース走」を実施したときの学生の感想をいくつか紹介したいと思います。

1．対面授業における快適自己ペース走実施後の感想

＜女子大学院生＞

　下記は大学院の運動心理学の授業で，トレッドミルを用いて 15 分間「快適自己ペース走」を遂行させたときの女子大学院生の感想です。

　女子大学院生は，『以前，心拍数によるペースの運動実験を行ったとき，数字にこだわり，あまり楽しい気分になれなかった。また，運動後の爽快感や達成感を感じた記憶もない。今回のトレッドミルを使った快適自己ペースでの実験では，運動後は非常に爽快感が強く感じられた。頭がクリアな感じになり，

達成感が感じられ，その後徐々にリラックス感を感じた。』と，相対的運動強度と「快適自己ペース」の違いに伴う感情変化について語っていました。

　また以下は，大学一般教育の体育実技授業で約 2km の公園を「快適自己ペース走」で 1 周周回させ，感想を書いてもらったものです。

<女子学生 A>

　女子学生 A は，『快適な運動がこれほど感情にも影響することに驚きました。公園は景色もきれいだったので，走った後はとてもすがすがしい気分になりました。今日走ってみて，毎日走っても大丈夫かもしれないとさえ感じました。この"快適さ"が運動を続けさせてくれることを，身をもって実感しました』と，公園を走ったことも影響しているかもしれませんが，「快適さ」が運動の継続に役立つことを語っています。

<男子学生 B>

　男子学生 B は，『快適自己ペースで走ると，身体にもこころにも良い影響をもたらすことはよくわかった。運動を一生懸命自分の力を出し切ってやる楽しさや爽快感は知っていたが，それとはまた違って自分の一番心地よいペースでこのような感情を得られることは歳がいくつになっても続けられる。だから心身の健康を保つのに快適自己ペースはとても役立つ』と，「快適自己ペース」の有効性について書いていました。

<男子学生 C>

　下記の男子学生 C はランニングが苦手であったようですが，走行中の感情・気分の変化を詳細に書いていました。

　　『運動前　　走るのが億劫である。

　　運動前半　「あー面倒い」から「まあいいか」へ。「いやだ」という気持ち薄れ，消える。

　　運動中盤　ボーっとして走る，何も考えていない。風景を眺める余裕がでる。

　　運動後半　楽しいことを考える。ニヤニヤして走る。

　　運動後　　開放感と満足感に満たされている。すっきりした気分で充実感を感じる明るい気分となる。』

　このように，ランニングが苦手であった者でも，「快適自己ペース」という

主観的な運動強度を用いてランニングを行えば，運動終了後にはポジティブな感情が得られます。

　以上に示した学生たちが，その後ランニングを行っているかどうかわかりませんが，少なくとも「快適自己ペース」でのランニングを遂行することによって，これまでとは異なる体験をし，ランニングに対するイメージや態度に変化が生じたことは事実でしょう。

２. 遠隔型体育授業における快適自己ペース走実施後のレポート

　2020 年は世界的に新型コロナウイルス感染拡大で世界的なパンデミックを起こし，大学の授業はすべて対面授業ができず，On Line での遠隔授業となりました。そこで，Zoom を使って体育実技授業でこれまでの「快適自己ペース走」を実施し，個々の快適自己ペースの相対的運動強度（%HRmax）と感情の変化を調べる実技授業を行ってみました。具体的な方法については次章で述べることにしますが，レポートを紹介したいと思います。

＜男子学生 D＞
　『自分のペースを探るのに，時間がかかりました。何回か走っているうちに，体の負担にならないペースを理解することができました。走り始めの時の感情は，本当に快適な速度で走ることで，気分が明るくなるのか，不安と疑問を持っていました。マイナスな気持ちでいっぱいでした。走っている最中は，途中できつくなった時もありましたが，ペースを乱さず走っているうちに気分が晴れやかになりました。走り終わった直後は，心拍数が上がって，暑かったのですが，10 分休憩したことで，リラックスした気持ちがわいてきました。これから走って，もう少し自分のペースについて考えていきたいです。』と，最初は「快適自己ペース走」によるポジティブな感情の獲得への不信感があったようですが，徐々に快適なペースをつかみ，運動後にはリラックス感を感じたことを報告していました。

　このように遠隔授業でも，快適自己ペースは体育授業で実施することは可能です。

3．学校体育における快適自己ペースの適用の可能性と課題
　― 学生の視点から ―

　運動・スポーツ系の学生が多くを占める学科の専門科目で，「快適自己ペース」に関する講義を行い，実際に「快適自己ペース走」を実践し，個々人の「快適自己ペース」の運動強度とそれに伴う感情の変化について調べさせました。そして最後に，「学校体育における快適自己ペースの適用の可能性と課題」についてレポートを書いてもらいましたので，男女学生 1 名ずつのレポートを掲載しておきたいと思います。

＜男子学生（K.M.）＞
　『私は小学校，中学校，高校の体育の授業で行われる持久走（長距離）がとても嫌いだった。持久走大会やマラソン大会が近くなってくるにつれて憂鬱な気持ちになり，当日も休みたいと思っていたことを鮮明に覚えている。その影響もあり，私はランニングについて大学で快適自己ペース走を知るまでは，とてもネガティブな捉え方をしていた。私のようなランニングに対してネガティブな捉え方をしている人はたくさんいると思う。その中で，学校の先生は個人評価表を作成し距離及び感想を記録させたり，走る前に座学により長距離走に興味を持たせたり，グループで走らせたりするなどのさまざまな工夫をしながら授業を行ってくれている。しかし，正直なところこのような工夫をしてもランニングに対してポジティブな捉え方ができる生徒はごく一部であり，ほとんどの生徒がランニングをすることに対して苦痛であることに変わりはないと考える。実際に私が中学生の頃，授業で記録をつけながら持久走を行ったが，苦痛であることには変わりなく嫌いという気持ちは少しも消えなかった。周りの友達も私と同じような捉え方だったように感じる。このように，子どもの頃にランニングというものにネガティブなイメージができることで，大人になってからもなかなか自ら進んでランニングをしようとは思わなくなると考える。
　そこで，そのようなことを防ぐために快適自己ペース走を子どもの頃に行い，ランニングに対してのイメージをポジティブにしていくことができれば，生涯運動に繋がっていくと思う。また，快適自己ペース走をすることで，「気持ちよかった」，「リラックスできた」などというポジティブな捉え方ができ，ランニングを好きになる人が増えてくるのではないかと思う。少なくとも，ランニングを嫌いになる人はほとんどいないと思う。私自身も大学の授業で快適自己

ペース走について勉強し，また実際に行ってみてランニングに対する子どもの頃に生まれたネガティブなイメージは少し薄れたように感じる。むしろ，ポジティブな捉え方ができている。また，快適自己ペース走は歳がいくつになっても続けることができ，心身の健康を保つことができるのでとてもすばらしい運動の仕方だと思う。

　私は今回，快適自己ペースについての資料を読み，また実際に快適自己ペース走を行ってみて，子どもの頃に快適自己ペース走を体験し，ランニングに対してネガティブなイメージではなく，ポジティブなイメージを抱きたかったと強く思う。しかし，この快適自己ペース走を学校体育で行うとなると，評価の仕方が難しいなどで課題がでてくるので，もう少し検討が必要になってくるのではないかと考える。このようなさまざまな課題を解決していき，少しでも早く学校体育で快適自己ペース走が浸透していくことを願いたい。』

＜女子学生（Y.H.）＞
　『私は，大学で「快適自己ペース走」の考え方を学び，今までの走運動に対するイメージを変えることができた。なぜなら，快適自己ペース走は自分の心と体と相談し心地よいペースで走ることができるため，自分にストレスがない状態で運動をすることができ，かつ運動後に快感情が向上するという効果もあるからである。

　小学校から高校までの持久走を思い出すと，それぞれにきつい思い出しかなく，楽しく持久走に取り組めたという記憶はない。その要因の一つとして挙げられるのが精神的にきついということである。持久走では必ずタイムが測定され，順位付けされることが多く自分の中での焦りや過度な緊張を毎時間終始感じていたため，走ることに対していい印象は持つことができなかったと考える。小学校では，持久走の時間外でも走運動に身近に触れてもらおうという願いから，行間に「ランランタイム」などの名称で，走ることを頻繁に行っていた。だが，走ることが好きな子と嫌い子で二極化してしまい，個人カードの結果もそのように大きく差が出ていた。そのため走ることには関わっていても，走運動の好き嫌いによって取り組み方にばらつきが出てしまい，根本的に「走運動を楽しんで行う」というイメージには結びつかなかったと考える。また高校でも持久走が行われていたが，体育の先生が部活動の顧問であったこともあり毎回同クラスの部活動の仲間と，タイムを競っていたため精神的にプレッシャーがかかった状態で走っていたと言える。

つまり、学校での走運動の取り組みは持久走の授業を始めとし先に述べたランランタイムや持久走大会など走る機会は多くあるものの、生徒自身が心から走ることを楽しんでいるとは考えにくい。

　一方「快適自己ペース走」は実際に行ってみて、身体的かつ精神的に楽な状態で走運動を楽しむことができた。これは、走ることを誰からも強要されず、自分で走るペースを決定して行うことができたからである。さらに、快適自己ペース走実施後には爽快感などのポジティブ感情が増加し、不安感などの感情は低下した。今までは走運動後に疲労感が残るだけであったが、快適自己ペース走では実施後の感情が良い方向へ変化し、運動後に「走って良かった」と心から思うことができた。快適自己ペース走は自己選択型で、タイムを気にして走ったり他人との比較をされたりすることがないため、身体的にも精神的にも心地よく純粋に走ることに集中し、楽しむことができるのが良いところである。そのため今までの持久走で感じてきた走運動の「きつい」などのマイナスな思考を変えることができ、生徒が走運動を楽しむことができるようになると考える。

　学校体育で適用していく上での課題は、評価をしなければならないこと、個人の基準をどう設定するかなどがあるが、これからは「ただ走る」持久走の授業ではなく、「走ることを楽しむ」持久走の授業をしていく必要がある。そうすると走運動の考え方が変わったり、生涯スポーツにつながったり、自ら走ることを好む生徒がもっと増えていくのではないかと考える。快適自己ペース走を学校体育で適用していくことを前向きに進めていくべきである。』

　以上，学生たちが述べていますように，「快適自己ペース」を用いたランニング授業における学生の好意的な感想は枚挙にいとまがありません。ぜひ，大学はもとより，小・中・高の学校体育における走運動（持久走）の学習指導に「快適自己ペース」を導入し，児童・生徒たちに個々の「快適自己ペース」の存在を体験させてもらいたいと思っています。

2節　なぜ走運動指導に快適自己ペースなのか

1．走運動指導における工夫・改善の必要性

　生涯体育という用語が学習指導要領に明記されたのは，昭和 52・53（1977・1978）年の改訂からです。つまり，学校体育から日常生活のなかに運動・スポーツの実施を習慣化・継続化させることを企図した体育教育の方針転換です。そのためには，学校体育で運動・スポーツに対する好意的態度の形成を図る必要があります。よって，保健体育科目の目標は，「生涯にわたって運動に親しむ資質や能力を育てる」と学習指導要領で謳われているわけです。しかし，運動に親しむ資質を態度と読み替えてよいかどうか微妙なところはあります。

　「走る」「跳ぶ」「投げる」は運動の基本的動作であり，小・中・高の学校の体育授業ではさまざまな運動・スポーツ種目が教材として用いられ，保健体育科目の教育目標の達成に向けた指導が行われています。その教材の1つに走運動（持久走）があり，単元授業としても行われていますが，三学期になると，全校あげて持久走大会や校内マラソン大会を開催する学校は多く，体育授業の多くの時間を割いて練習が行われています。

　しかし，この「走る」ことを楽しみとする児童や生徒は少なく，「走る」ことに対するイメージは「きつい」「楽しくない」とネガティブな感情をもっています。よって，走運動の体育授業が行われている期間に課外の時間を通じて，ジョギングやランニングを自主的に行うかというとそうではなく，持久走大会や校内マラソン大会が終わっても，ランニング愛好者が増えたという話を聞いたことがありません。児童や生徒たちは，「やっと終わった」「やれやれ」というのが本音で，大会が終了したらほとんどの児童・生徒が「走る」ことを止めてしまいます。

　これらが生涯体育につながる体育授業を目指すのであれば，体育授業の多くの時間を費やして行っていますので，当然ジョギングやランニングを行う児童・生徒が増加してもよいはずです。しかし，実際にはそうはなっていません。ジョギングやランニングは，いつでも，どこでも，だれにでもできる運動様式ですが，児童・生徒たちは走りたがらなくなっているのです。この「走る」という運動の継続ができていないことを考えますと，学校行事として開催される

持久走大会やマラソン大会は，かえって「走る」ことを嫌いにしているのではないかということになります。この期間に体力がつく，精神が鍛えられると考えられている先生方もおられるかと思いますが，それらのエビデンスはありません。また，大会後にランニングをやめてしまえば，たとえ一時的に体力がついたとしても元に戻ってしまいます。

　私自身は決して持久走大会やマラソン大会を否定しているわけではありません。児童・生徒における挑戦的課題達成型の運動・スポーツは，「練習や試合を通して体験した心に残る良い出来事や悪い出来事を含むエピソード」と定義されるスポーツドラマチック体験（橋本，2005，橋本ら，2006）が生まれやすく，自己成長を育む機会にもなるからです。ただこの大会に向けての指導過程に工夫・改善が必要ではないか，快適自己ペースの指導を導入してはどうかと考えているわけです。

２．走運動に対する好意的態度形成の必要性

　体育授業における走運動（持久走）は，単純であり苦痛感を伴いますので，指導は難しく体育の先生方はさまざまな工夫をされておられると思います。生涯にわたる運動実践のためには，運動・スポーツに対する好意的態度の形成が重要となります。ランニングに対するイメージや態度（認知・評価，感情）は後天的に形成されたもので，きわめてネガティブとなっていますが，もし体育授業で「ランニングやジョギングをすることは心地よい，楽しい」というポジティブな感情的態度が形成されたとしたらどうでしょうか。このような指導こそが，生涯にわたって運動・スポーツが実践されていく可能性を大きくすると思います。

　したがって，「走る」ことに対する好意的態度の形成に向けた指導法の工夫・改善が必要となります。ここに，自己決定・自己選択型の主観的な運動強度としての「快適自己ペース」を体育授業に導入することの意義が見い出され，きわめて有効な方法と考えているわけです。その際の走運動の指導は，はじめは挑戦，忍耐，競争というのはなく，走運動に伴う心地良さに気づかせ，からだの変化を知るものとなるでしょう。特に，持久走やマラソン大会前のからだを慣らしていく練習の段階では個々人の「快適自己ペース」の主観的な運動強度の探索とポジティブ感情やネガティブ感情の変化の学習，つまりこころとからだの気づきを中心とした授業とし，大会が近づいたころから自己の可能性を拓

くための努力や挑戦に切り替えるとよいのではないかと思っています。

　ただ，人の社会的行動は複雑で好意的な態度が形成されただけで，行動が生起するとは限りません。すでに第2章の計画的行動理論で説明していますように，主観的規範（他者の期待に対する信念）や行動の統制感（課題の難しさや易しさの信念）やそのほかの要因が多数介在するからです。しかし，少なくとも好意的態度を形成することが行動意図（行動しようとする動機）に影響を与えていくことは間違いないと思われます。

3節　学校体育における走運動指導の現状と課題

　体育授業における走運動（持久走）の指導の現状と課題について，小・中・高で長年体育教員として経験されてこられた先生方のご意見を伺ってみました。新学習指導要領は平成28・29年度から施行されていますので，それ以前の学習指導要領に準拠した走運動（持久走）の授業における指導経験となることを付記しておきます。

1．小学校における陸上運動の指導

　1) 学習指導要領における陸上運動について
　小学生においては，子どもの発育・発達が著しいので，低学年，中学年，高学年に分けて学習指導要領は記載されています。個々の「快適自己ペース」がつかめ，感情の測定ができるのは高学年からと考えられますが，それでも個人差は大きいかもしれません。その場合は数量化せず，感想文でもよいかと思います。平成29年新学習指導要領の陸上運動系の走運動についての記述は下記のとおりです。

表 10-1. 小学校の平成 29 年新学習指導要領（走運動の抜粋）

1) 学習指導要領における走運動について
＜省略＞
　陸上運動は,「短距離走・リレー」,「ハードル走」,「走り幅跳び」及び「走り高跳び」で内容を構成している。これらの運動は, 走る, 跳ぶなどの運動で, 体を巧みに操作しながら, 合理的で心地よい動きを身に付けるとともに, 仲間と速さや高さ, 距離を競い合ったり, 自己の課題の解決の仕方や記録への 挑戦の仕方を工夫したりする楽しさや喜びを味わうことのできる運動である。
　陸上運動の学習指導では, 合理的な運動の行い方を大切にしながら競走（争）や記録の達成を目指す学習活動が中心となるが, 競走（争）では勝敗が伴うことから, できるだけ多くの児童に勝つ機会が与えられるように指導を工夫するとともに, その結果を受け入れることができるよう指導することが大切である。一方, 記録を達成する学習活動では, 自己の能力に適した課題をもち, 適切な運動の行い方を知り, 記録を高めることができるようにすることが大切である。
　また, 陸上運動系の領域では, 最後まで全力で走ることや思い切り地面を蹴って踏み切るなど, 体全体を大きく, 素早く, 力強く動かす経験をすることができるようにすることも大切である。
＜省略＞

　「心地よい動きを身に付ける」「競走（争）では勝敗が伴う」「仲間と速さや高さ, 距離を競り合ったり」「競走（争）や記録の達成を目指す」「最後まで全力で走ること」などの競争の原理も入ってきています。

2) 走運動指導の現状と課題
　では, 教育現場の先生方は走運動の授業に関して, どのように工夫しながら指導され, またどのような課題を感じておられていたのでしょうか。

鋤崎澄夫先生（元教育指導主事, 小学校校長）

『私が学校指導現場にいたころは, 小学校における走運動は, 低学年では「走・跳の運動遊び」, 中学年では「走・跳の運動（かけっこ, リレー, 小型ハードル走）」, 高学年では「陸上運動（短距離走・リレー, ハードル走）」として位

置づけられていました。中学校から出てくる長距離走の内容はなく，長い時間走り続ける，いわゆる「持久走」的な運動は「体つくり運動（低学年においては「体つくり運動遊び」）」のなかで行われていました。

　体つくり運動のなかの「体ほぐしの運動」は，平成10年に改訂された小学校学習指導要領で，「体操」に代わり導入されたものです。「体操」にあっても持久走は，「動きを持続する能力を高めるための運動」として位置づけられていました。しかしながら，持久走大会が多くの学校で体育的行事として実施されていたことから，体育授業はその練習として捉えられていたため，長距離走（競走）的扱いとされており，児童においては，①身体的苦痛が大きい，②走力差が大きい，③単調である，④伸びがよくわからない，よって教員としては指導がしにくいといった指導上の問題点があげられます。

　そこで，私は授業場面において，走る際の呼吸法に気づかせたり，音楽を流して音楽に合わせリズムよく走らせたりするなどの工夫を行っていましたし，日常的に一定の距離を走る指導として，朝の活動としてのモーニングラン，業間活動としてのランニングタイムなどを行い，学習カード（熊本県一周や九州一周など）を工夫して児童に達成感を味合わせる取り組みも行ってきました。さらには，持久走大会と体育授業をつなげ，上記の問題点を解決するための工夫として，宣言タイム制を取り入れ，他人との競走ではなく，自分の力に合ったタイムを設定し，そのタイムと実際のタイムとの差での順位を入れるなどのユニークな試みを行ったこともあります。

　しかし，持久走大会が終われば児童は走るのをやめますので，生涯体育（スポーツ）にはなかなかつながらなかったのではないかと推察されます。』

　　　　　　　　　　藤本敏明先生（元教育長，小学校校長）

　『昭和52年の学習指導要領改訂においては，「生涯体育（スポーツ）を志向する体育」に大きく方向転換し，運動に親しむことを重視した「楽しい体育」が登場しました。その後，平成元年改訂では，生涯体育につなぐには，「好きにする（嫌いにしない）」「より好きにする」「得意にする」という，いわゆる「楽しい体育」が不可欠であるとされました。楽しい体育の授業とは，子どもたち自身が自ら楽しいと感じる体育の授業であり，教師中心で強制的に技能を伸ばす指導ではなく，子どもたちがめあてを設定し自ら技能を伸ばす授業の

創造だと思います。その楽しい体育の授業の考え方は，40年以上経った現学習指導要領にも脈々と受け継がれています。

　小学校段階のかけ足や持久走は，体操系の領域で捉え，陸上運動系の領域にはありません。小学校のかけ足や持久走では，無理のない速さの捉え方をそれぞれの子どもにいかに認識させるかという指導の工夫が重要です。また，年に数分×数回の授業で，持久走大会につなぎます。その現状で「好きにする」段階に高めるには，難しい問題があります。

　私が管理職で，子どもたちの体力と奉仕の心の向上を目指して実践した業前活動は，始業10分前から校舎外の清掃活動，その後15分を体力つくりに取り組みました。縦割り班などのいろいろなグループをつくり，1日おきに持久走と遊びやゲームを組み入れました。特に，持久走では個人評価表を作成し，距離及び感想を記録させるなど子どもたちが自分自身のペースと距離のめあてを決めて取り組ませました。4年間継続した結果，学習面及び運動面が大きく伸びたことを覚えています。

　子どもたちは，ある程度の運動の継続の中で快適自己ペースをつかむのではないかと思います。そのペースをつかんで初めて走る爽快感を感じ，「好きになる」段階へと移行します。そのことがなければ，生涯スポーツにはつながらないと思います。』

2．中学校における長距離走の指導

1) 学習指導要領における走運動について
　中学校の平成29年新学習指導要領の陸上運動系の長距離走についての記述は下記のとおりです。ここでは，「タイムを短縮したり，競走したり」「設定した距離をあらかじめ決めたペース」「自己に合ったピッチ」「ペースを一定にして」という文言が出てきますが，ピッチとペースは異なりますが，ここでいわれているペースが一体何を指しているのかについて具体的には示されていません。好きなペースでも自分に合ったペースではなく，記録向上や競争の原理を前提として配分したペースのことをいっているようです。

表 10-2. 中学校の平成 29 年新学習指導要領（長距離走の抜粋）

イ　長距離走　では，自己のスピードを維持できるフォームでペースを守りな
がら，一定の距離を走り通し，タイムを短縮したり，競走したりできるようにする。
長距離走ペースを守って走るとは，設定した距離をあらかじめ決めたペースで走る
ことである。指導に際しては，「体つくり運動」領域に，「動きを持続する能力を高
めるための運動」として長く走り続けることに主眼をおく持久走があるが，ここで
は，長距離走の特性を捉え，取り扱うようにする。また，走る距離は，1,000～3,000
m 程度を目安とするが，生徒の体力や技能の程度や気候等に応じて弾力的に扱う
ようにする。
　〈例示〉
　・腕に余分な力を入れないで，リラックスして走ること。　第 2 章 保健体育科の
目標及び内容 88
　・自己に合ったピッチとストライドで，上下動の少ない動きで走ること。
　・ペースを一定にして走ること。

---

2) 走運動指導の現状の課題

川上一也先生（元中学校校長，体育教員）

　『中学体育の授業で苦労したことは，いかに「長距離走」に興味を持って参
加させるかということでした。そこで，まず考えたのが室内学習（座学）の導
入部分で視聴覚教材を有効に使い，ビジュアル的に生徒の意識を高めることで
した。市民ランナーの声とかハンディがありながら楽しくジョギングする人の
感想とかは効果がありました。また，マラソンや 42.195 ㎞の距離の由来など
の学習には興味をもったようです。
　実技授業でしたことは，あらかじめ長距離地図（熊本県地図・九州地図・全
国地図等）を作り，自分の走った距離を記入させていました。「マラソンロー
ドマップ」と名付け，各自に持たせていました。長く走ることにより，距離へ
の興味と自分自身への自信を持たせることに効果があったと思います。熊本県
完走証とか九州完走証なども用意していました。
　ただ，記録した用紙をなくした生徒への対応が少々大変でした。（走った距
離等の確認等々）。コースとしては校舎内に約 600mを設定し，5 分間走とか 10

分間走あるいは走る距離を3,000m（5周）と限定し走行させていました。生徒により能力差（タイム・距離）があることは仕方ありませんが，走る態度（取組）には注視していました。また，距離記入は授業のみならず，昼休み・放課後も可としていましたので，自主的に取り組む生徒も見受けられました。

　長距離走の授業は大体11月から12月にかけて3〜4週間やっていました。12月中旬に実施していた校内強歩大会（約20km）に向けての準備も兼ねていたのです。大会前に授業を設定すると「真剣さが違った」という印象です。長距離走も含めて体育実技で最も配慮していたことは，生徒個々の疾病の確認です。特に心臓・肺の疾患には注意していました。』

　　　山添健陽先生（福岡県学校保健体育研究会事務局，中学校体育教諭）

　事前アンケートをとると，多くの生徒が往々にして走運動に対してネガティブなイメージを抱いています。したがって長距離走の指導においては，走運動に親しみをもたせるということを大切にしながら，3週間程度という短期間で様々な取り組みをしています。具体的な取り組みとして特に2つの観点を重んじています。1点目は，単純な距離走にとどまらず，インターバル走やペース走，時間走などいろいろな距離や時間を設定して走ることです。そうすることで，毎回の授業に新たな気持ちで臨むこともできますし，短い距離なら苦に感じにくい生徒は前向きに取り組むことができているようです。2つ目はグルーピングです。一人ひとりで走ることもありますが，時には学級内での生活班単位で行動させることもあります。先ほどのインターバル走やペース走，距離走を生活班ごとに割り振り活動させることで仲間意識をより高めて取り組むことができます。例えば，生活班で20分以内に3kmを走るように設定し活動させると，走運動が得意な生徒は苦手な生徒と伴走したり声かけをしたりして，彼らにとって最も適したペースを見つけて走り切ることができます。授業後のアンケートには，いろいろな走り方があることに対して興味を抱いたことや，仲間の大切さを改めて感じたと振り返る記述があり，走運動への親しみをもった姿をうれしく感じることもあります。

　しかし，課題としてはその感情は一過性であり，なかなか継続しないという点です。走運動に対するネガティブなイメージを拭い去れるほどにはなっていないことから，走運動に対する抜本的な手立てが必要だと感じています。

3. 高校における長距離走の指導

1) 学習指導要領における長距離走について

　高校の平成 29・30 年度の新学習指導要領の陸上運動系についての記述は，下記のとおりです。

表 10-3. 高校の平成 29 年新学習指導要領（長距離走の一部抜粋）

　長距離走　　距離走では，<u>自己に適したペース</u>を維持して，一定の距離を走り通し，タイムを 短縮したり，競走したりできるようにする。 自己に適したペースを維持して走るとは，<u>目標タイムを達成するペース配分を自己の体力や技能の程度に合わせて設定し，そのペースに応じたスピードを維持して走ること</u>である。指導に際しては，走る距離は，1,000〜3,000 m 程度を目安とするが，生徒の体力 や技能の程度や気候等の状況に応じて弾力的に扱うようにする。

〈例示〉

・リズミカルに腕を振り，力みのないフォームで軽快に走ること。

・呼吸を楽にしたり，走りのリズムを作ったりする呼吸法を取り入れて走ること。

・<u>自己の体力や技能の程度に合ったペース</u>を維持して走ること

　ここでは，「自己に適したペース」「自己の体力や技能の程度に合ったペース」という表記があり，「目標タイムを達成するペース配分を自己の体力や技能の程度に合わせて設定」「そのペースに応じたスピードを維持」「自己の体力や技能の程度に合ったペース」と，個々人の体力に応じた相対的運動強度を前提にしたペースの設定をいっていますので，走行スピードのやや具体的な設定法が記載されています。しかし，これでもやはり目標に合わせたペース配分をいっているだけで，それが「自己に適したペース」といえるのかどうか疑問が生じます。

2) 走運動指導の工夫と課題

『持久走の授業前には，タイムを縮めていくことや，楽しく走るための走り方等（セカンドウインドなど）を説明し，モチベーションの高揚を図ってきましたが，実際は，順位やタイムを競う指導が優先し，個々の生徒に向き合った楽しく走るための授業を重視することなく授業を進めてきたように思います。その結果，持久走嫌いな生徒を，生んできたのではないかと思います。

　ある経験校の話をしますが，3〜4クラスの生徒全員が，同時に学校の周回コース（1周1km）を走り，授業が進むにつれて周回を男子4回〜6回，女子3回〜5回へと徐々に増やしていく，その毎回のタイムを100点法の物差しで記録し評価してきました。

　本来の持久走の在り方としての，個々の能力にあった楽しく走ることを主眼にした取り組みや，生涯体育をめざした授業では無かったように思います。比較的速い生徒や，持久走の意義・目的が理解できている者については，それなりに効果はあったと思いますが，多くのそうでない生徒にとっては，苦痛でしかなかったのではなかろうかと思います。

　言い訳になりますが，現場では，授業のほか，担任業務，生徒への対応，部活動，休日の大会運営など，公務多忙で，体育の授業を通して，個々の生徒に向き合った授業を研究する時間的な余裕がないのが現状であります。私は，現在，大学の非常勤講師として1コマ90分の体育の授業を4コマ行っています。授業は，時間的な余裕があり個々の学生と向き合った授業ができていると思います。

　これらの経験から生徒個々の能力に目を向け，快適な自己ペースで走り，走る楽しさを体感できる授業を工夫することができれば，自ずと走ることへの抵抗がなく，生涯スポーツや体力向上へと繋がるものと考えます。』

吉田安宏先生（佐賀県国体準備委員会委員，体育教員）

『高校の体育授業では，1月下旬の学校伝統行事ロードレース大会に向けて，3週間（週あたり3時間）にわたり学校敷地外壁に沿って1週約600mを男子は6周，女子は5周する走コースで長距離走を実施していました。

長距離走の授業は単調なので工夫したのは，タイムを短縮することへの動機づけとして，毎回の目標タイムと走後の記録を折れ線グラフとして記録し，タイムの変遷が視覚的に確認できるようにし，折れ線グラフの欄には，前年度の同学年のタイムをラインで表示し，自己タイムの相対的な位置づけを意識できるようにしました。また，比較的運動量・運動頻度が少ない生徒が長距離走に対する苦手意識や嫌悪感を抱かないよう，走タイムに対しては「どれだけタイムを向上できたか」という絶対評価の観点があることを伝えました。

しかし，持久走の授業の課題としては，大人数が一斉に走るため，生徒一人ひとりの課題や成果へのフィードバックが難しく，タイムの記録に頼るところが大きいこと，ゴールするタイミングが走力差によって大きく異なることです。そこで，先にゴールした生徒は寒くならないよう体育館で「体力を高める運動」の活動をするものの，最後にゴールする生徒はほとんどその活動をすることがないため，単元学習という体育授業は難しいことでした。また，走運動の苦手意識がある生徒については，自分なりに頑張る生徒と淡々と作業として走る生徒に分類される印象でした。』

以上，小・中・高の体育の先生方に走運動（持久走）の指導経験における現状と課題について語っていただきました。小学校と中学・高校では，指導法は異なるのは当然でしょう。小学校の先生方の工夫としては，走運動の苦痛感を紛らわせるために呼吸法や音楽によるズム合わせといったアソシエーション法を用いたり，学習カードのセルフ・モニタリングによる動機づけをしたりされています。また，楽しい体育や好きにするにする体育にもっていくための目当て学習として目標設定法も導入しておられました。また，中学・高校での持久走の体育授業は，三学期に開催される校内持久走大会（名称は学校によって異なる）に合わせて，体育授業が3〜4週間（週3回）にわたって行われているようです。からだ慣らしから距離を延ばして大会で仕上げるというプログラム内容で，モチベーションを高めるため，ロードマップの作成や表彰などの行動変容技法を用いたり，記録をグラフに記載し可視化するなどがなされていま

す。しかし，多人数を扱うことにより，個々の生徒への指導が難しかったと述懐されておられる先生方もおられますし，持久走大会が終わると，生徒はランニングをやめているということです。これでは生涯スポーツにつながる体育とはなっていかないと思われます。

　単純な走運動であるがゆえに動機づけを高める工夫をされていることは十分理解できますが，これに加えて校内持久走大会やマラソン大会の前の走運動（持久走）の指導のなかに，必ずポジティブな感情を醸成することができる「快適自己ペース」を導入することは可能かと考えます。中学・高校の新学習指導要領には，「自己に合ったピッチ」「自己に適したペース」「ペースを一定」などの文言がありますが，これらが一体どんなものかに関しては具体的な記述はありません。実はこのペースが本書で主張しているところの個々人が「快」を感じる固有のペース，つまり「快適自己ペース」なのです。

　体育授業での「快適自己ペース走」の授業は簡単ですし，受講者のランニングに対するイメージや態度を変容させることができますので，具体的な方法に関しては次章で述べ，資料を掲載して説明したいと思います。

文　献

橋本公雄（2005）スポーツにおけるドラマチック体験とライフスキル. 体育の科学，**55 (2)**: 106-110.

橋本公雄・丸野俊一・和田光一郎・（2006）スポーツドラマチック体験尺度の作成―信頼性と妥当性の検討―. 九州大学健康科学センター研究成果報告書, 19-33.

第11章　快適自己ペースを用いた
エアロビック運動の指導の進め方

　本章では，学校体育における走運動（持久走）や健康・体力づくりにおける
エアロビック運動（トレッドミル走，自転車こぎ）で「快適自己ペース」を用
いて指導する場合，個々人の「快適自己ペース」の運動強度と運動後の感情変
化を調べることになります。そこで，エアロビック運動の指導の進め方につい
て具体的に解説することにします。

　ここに記載されている内容は，大学の体育授業で「快適自己ペース走」を実
施したときの具体的方法を事例としてあげていますので，使用される方々はこ
れらを参考にしてさらに創意・工夫し，よりよい方法を考えていただければと
思います。

1．快適自己ペースの目的と設定法

　人それぞれに「快」を感じる固有のペースがありますので，「快適自己ペー
ス」での運動を実施する際，「快適」と感じるペースを探索すること，そのペ
ースの運動強度を知ること，そして運動に伴う感情の変化を理解することを目
的とします。したがって，エアロビック運動での課題は，「こころとからだの
気づき」や「快適自己ペースの運動強度とポジティブ感情の変化」などが考え
られます。

　「快適自己ペース」とは，不快を感じない，違和感のないペースであること
を説明します。このペースの存在を理解させるために，運動実施日までに，一
度両手による打叩での精神テンポの存在を理解させておくとよいでしょう。
「最も快適と感じる速さで，こぶしを使って手の平を叩いてください」といっ
て30秒間叩かせ，回数を数えさせます。遅い人で30回台，速い人で60回台
以上叩く人がいると思います。1週間後に再度同様の課題を行いますと，ほぼ
類似した回数を叩くことでしょう。このようにして，人それぞれに「快」を感
じる速さ（精神テンポ）が異なることを体験させ，各自の「快適自己ペース」
というスピードの存在を理解させておくと動機づけとなり，効果的かと思いま
す。

実施前に，「こころとからだと相談しながら，最も快適と感じるペース，つまり不快でなく違和感のないペースを探してください」という言語教示でもって，個々人の「快適」と感じるペースを探索させます。「快適自己ペース」という主観的な運動強度は個々人によって異なり，速いとか遅いということとは関係ないこと，競争や頑張ることではないことを注意しておく必要があります。

2．実施上の留意事項と手順

1) 実施上の留意事項
(1) 配布資料
　運動強度の算出と感情の測定をするために記録表を作成し，配布します（資料 1-4 参照）。

(2) 準備物
　体育授業では，ストップ・ウオッチを 2〜3 個準備します。1 個は走行時間の計測用で，ほかは脈拍の計測に用います。トレッドミルや自転車エルゴメーターなどを用いる場合は，内蔵してある測定装置を用いることができます。

(3) 実施前の留意事項
　下記は体育授業でグラウンドを用いたときの事例です。
① 感情状態や心拍数を測定しますので，運動実施中はできるだけ座位安静の姿勢を保持させます。互いに大声で話し合ったり，激しく動いたりしないように注意しておきます。
② バディを組ませ 1 人が走行し，もう 1 人が記録係になり，交代して走行します。
③ グラウンドのトラックを用い周回します。「快適自己ペース」を調整しますので，少なくとも 5 分間以上の走行が必要です。できれば 10 分以上がよいでしょう。
④ 1 人ずつ 15〜20 秒間隔でスタートさせますが，スタート間隔は自由に変更してもよいでしょう。

2) 実施手順

　以下は，体育授業の場合ですので，トレッドミルや自転車エルゴメーターを用いる場合は内蔵してある測定装置を用いることになります。

(1) 走行前

　　① 安静時の脈拍数の測定は実施当日でなくてもよいと思います。練習を兼ねて測定しておくとよいでしょう。脈拍は手首の橈骨動脈を用いて測定します。

　　② 「快適自己ペース走」の説明をし，特に競争ではないことを注意しておきます。

　　③ 運動開始直前に1回目の感情の測定（資料1）を行いますが，体育授業の場合一斉に実施してもよいと思います。

(2) 走行時

　　① 走行時間の計測者1名はスタート時間とゴール時間を読みあげます。

　　② 記録係はスタート時間とゴール時間を記録します。

(3) 走行終了後

　　① 走行終了後に立ち止まらせ，触診法で15秒間脈拍を測定します。

　　② その後，2回目の感情（資料2）とRPEの測定を行います。

(4) 回復期

　　① 10～15分間は動き回らず，座位安静の状態で座っておきます。

　　② 3回目の感情（資料3）を測定し，終了とします。しかし人数が多すぎると，時間的に回復期の測定は難しいかもしれません。

3．実施後のまとめ

快適自己ペースを用いた走運動の授業終了後は下記のまとめを行います。

1) 「快適自己ペース走」時の運動強度（%HRmax）と感情得点の算出。
2) 感情得点の変化の作図。
3) 感情の変化と運動強度に関するレポート作成。

4）走行スピードと運動強度の算出法

(1) 走行スピードの算出
トレッドミルを用いる場合は測定装置を用います。

走行スピード＝（走行距離：＿＿＿＿＿）m／所要時間（分）
分速　＝　＿＿＿＿＿　m／分

(2) 運動中の運動強度（%HRmax）の算出
個々人の「快適自己ペース走」時の運動強度を算出しますが，最高心拍数を基準としてどの程度の運動強度に相当するのかをカルボーネン法で算出します。

安静時の心拍数　（a：＿＿＿＿）　実際は脈拍数
運動時の心拍数　（b：＿＿＿＿）　実際は脈拍数
最高心拍数　　　（c：＿＿＿＿）　220－年齢

「快適自己ペース（CSEP）」の運動強度（%HRmax）の推定値の算出式

$$
\text{CSEP の運動強度（\%HRmax）} = \frac{\text{運動時の心拍数（b：＿＿＿＿）－安静時心拍数}}{\text{最高心拍数（c：＿＿＿＿）－安静時心拍数}} \times 100
$$

%HRmax の判定基準は下記のとおりです。

高い運動強度　　　　80% HRmax 以上
中等度の運動強度　　51%〜79% HRmax
低い運動強度　　　　50%以下 HRmax

(3) 運動終了直後の主観的運動強度（Borg の RPE）（　　　　）
資料2で運動終了直後に RPE を記載しますので、それを転記します。

資料 1. 快適自己ペース走時の運動強度と感情の記録表

＜運動前＞

安静心拍数（＿＿＿＿＿＿＿＿）拍／分 ……（a）

CFS 快適感尺度

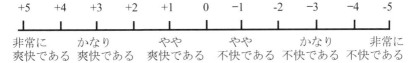

+5	+4	+3	+2	+1	0	−1	-2	−3	−4	-5

非常に爽快である	かなり爽快である	やや爽快である	やや不快である	かなり不快である	非常に不快である

MCL-S.2 感情尺度

	そうでまったくない	そうでない	そうでやや ない	どちらともいえない	そうでやや ある	そうで ある	そう非常に ある
1 生き生きしている	-3	-2	-1	0	1	2	3
2 リラックスしている	-3	-2	-1	0	1	2	3
3 不安である	-3	-2	-1	0	1	2	3
4 爽快な気分である	-3	-2	-1	0	1	2	3
5 ゆったりしている	-3	-2	-1	0	1	2	3
6 思いわずらっている	-3	-2	-1	0	1	2	3
7 はつらつしている	-3	-2	-1	0	1	2	3
8 落ちついている	-3	-2	-1	0	1	2	3
9 くよくよしている	-3	-2	-1	0	1	2	3
10 すっきりしている	-3	-2	-1	0	1	2	3
11 穏やかな気分である	-3	-2	-1	0	1	2	3
12 心配である	-3	-2	-1	0	1	2	3

注）下位尺度項目の算出法は下記のとおりです。
　　快感情　　　　（項目番号1,4,7,10）
　　リラックス感　（項目番号2,5,8,11）
　　不安感　　　　（項目番号3,6,9,12）

資料 2. 快適自己ペース走時の運動強度と感情の記録表

＜運動終了直後＞

運動時の心拍数の推定（　　）拍／15 秒×4＋10　→（　　）拍／分　…　(b)

RPE（主観的運動強度）

| 7 | 8 | 9 | 10 | 11 | 12 | 13 | 14 | 15 | 16 | 17 | 18 | 19 |

| 非常に
楽である | かなり
楽である | 楽である | やや
きつい | かなり
きつい | 非常に
きつい | きつい |

CFS 快適感尺度

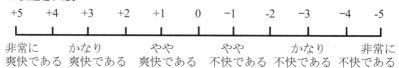

| +5 | +4 | +3 | +2 | +1 | 0 | -1 | -2 | -3 | -4 | -5 |

| 非常に
爽快である | かなり
爽快である | やや
爽快である | やや
不快である | かなり
不快である | 非常に
不快である |

MCL-S.2 感情尺度

		そう で まっ た く ない	そう で ない	そう で な や や	どちらとも いえない	そう で あ る やや	そう で あ る	そう で あ る 非常に
1	生き生きしている	-3	-2	-1	0	1	2	3
2	リラックスしている	-3	-2	-1	0	1	2	3
3	不安である	-3	-2	-1	0	1	2	3
4	爽快な気分である	-3	-2	-1	0	1	2	3
5	ゆったりしている	-3	-2	-1	0	1	2	3
6	思いわずらっている	-3	-2	-1	0	1	2	3
7	はつらつしている	-3	-2	-1	0	1	2	3
8	落ちついている	-3	-2	-1	0	1	2	3
9	くよくよしている	-3	-2	-1	0	1	2	3
10	すっきりしている	-3	-2	-1	0	1	2	3
11	穏やかな気分である	-3	-2	-1	0	1	2	3
12	心配である	-3	-2	-1	0	1	2	3

注）下位尺度項目の算出法は下記のとおりです。
　　快感情　　　　（項目番号1,4,7,10）
　　リラックス感　（項目番号2,5,8,11）
　　不安感　　　　（項目番号3,6,9,12）

資料 3. 快適自己ペース走時の運動強度と感情の記録表
＜回復期 10-15 分＞

回復期の心拍数　（＿＿＿＿＿）拍／分

CFS 快適感尺度

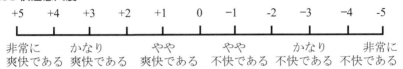

+5	+4	+3	+2	+1	0	−1	−2	−3	−4	-5

非常に 爽快である	かなり 爽快である	やや 爽快である	やや 不快である	かなり 不快である	非常に 不快である

MCL-S.2 感情尺度

		そうでは まったく	そうでは ない	そうでは やや ない	どちらとも いえない	そうで やや ある	そうで ある	そうで 非常に ある
1	生き生きしている	-3	-2	-1	0	1	2	3
2	リラックスしている	-3	-2	-1	0	1	2	3
3	不安である	-3	-2	-1	0	1	2	3
4	爽快な気分である	-3	-2	-1	0	1	2	3
5	ゆったりしている	-3	-2	-1	0	1	2	3
6	思いわずらっている	-3	-2	-1	0	1	2	3
7	はつらつしている	-3	-2	-1	0	1	2	3
8	落ちついている	-3	-2	-1	0	1	2	3
9	くよくよしている	-3	-2	-1	0	1	2	3
10	すっきりしている	-3	-2	-1	0	1	2	3
11	穏やかな気分である	-3	-2	-1	0	1	2	3
12	心配である	-3	-2	-1	0	1	2	3

注）下位尺度項目の算出法は下記のとおりです。
　　快感情　　　（項目番号1,4,7,10）
　　リラックス感（項目番号2,5,8,11）
　　不安感　　　（項目番号3,6,9,12）

資料 4. 感情変化の作図とこころとからだの変化の気づき（まとめ）

1. 快適自己ペース走に伴う感情の変化の集計表
運動前・中・回復期の感情得点を表 11-1 に転記します。

表11-1. 運動前・中・後の感情得点の転記表

	運動前	運動後	回復期
快適感得点（CFS）	( )	( )	( )
MCL-2.感情尺度			
快感情得点	( )	( )	( )
リラックス感得点	( )	( )	( )
不安感得点	( )	( )	( )

2. 感情変化の作図と自己分析
　最後に，快感情と感情尺度得点（運動前・中・回復期）を折れ線グラフで作図しますが，縦軸の感情得点の幅は自由に決め，4 つの得点（快感情，リラックス感，不安感，快適感）を色分けするとよいでしょう。

レポート（自己の快適自己ペースの運動強度と感情の変化の考察，次頁参照）

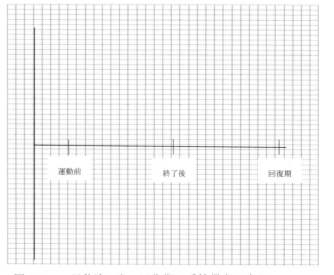

図 11-1.　運動前・中・回復期の感情得点の変化

資料 5-1. 快適自己ペース走に伴う感情変化と運動強度のレポート事例

(Y. H.)

FS,CFS,MCL 感情尺度得点の変化を作図する。（得点の幅は自由、色分けする）

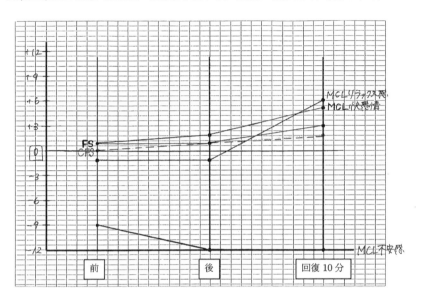

レポート（自己の快適自己ペースの運動強度と感情の変化を考察する）

快適自己ペースは、少し体がだるいと感じる程度で、走り
終わった後は少し息切れしているくらいの強度であった。(65%HRmax)
上の図を見ると、リラックス感に大きく変化が見られた。
走り続けると、自分のペースに慣れて気持ち的にも余裕が
出てきた為、落ちついてスッキリした気分で走ることが出来ていた
ように感じる。不安感は運動前に比べて運動後の数値は
減少していたが、回復10分の数値は変化がなかった。
運動前と運動後の数値はあまり大きな変化がないものが多い
が、運動前と回復10分の数値には変化がみられた。
走ることは好きではないが、自分のペースで走ることにより、
走り終わった後は良い感情になり、爽快感もあった為、自己快適
ペースで走ることが大切であると感じた。

資料 5-1.　快適自己ペース走に伴う感情変化と運動強度のレポート事例

(M. N.)

FS,CFS,MCL 感情尺度得点の変化を作図する。(得点の幅は自由、色分けする)

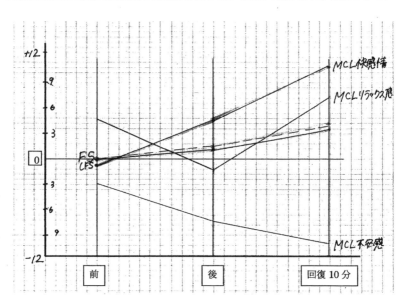

レポート（自己の快適自己ペースの運動強度と感情の変化を考察する）

　上の表から大きく変化が見て取れるのはMCLの数値だ。
特に1番変化が見られるものは、MCL快感情である。
-1から12へとはねあがっている。実際に運動を始める前は
あまり乗り気ではなかったが、運動を始めて、時間が
たつと、とても良い気分になった。また、MCLリラックス感は
運動直後は下がったものの回復期間にはとてもリラックスした
気持ちになれた。逆にMCL不安感はとても数値が下がった。
全体的に運動前にくらべると良い数値になっている。
また、私の運動強度は69%HRMaxだった。激しい運動
ではなく程よいスピードで運動を行った。私の身体能力の
基準となる運動強度を知ることができて良かった。

著者紹介

橋本　公雄（はしもときみお）

　昭和22（1947）年熊本県生まれ。熊本大学教育学部保健体育科卒業。九州大学名誉教授。現在，熊本学園大学社会福祉学部シニア客員教授，博士（学術），専門は健康・スポーツ心理学。快適自己ペース，メンタルヘルスパターン診断検査，運動継続化の螺旋モデル，挑戦的課題達成型授業など独創的研究に従事。

　著書：未来を拓く大学体育−授業研究の理論と方法（編著，福村出版，2012），運動継続化の心理学−快適自己ペースとポジティブ感情−（共著，福村出版，2015），アクティブな生活を通した幸福を求める生き方−ライフ・ウェルネスの構築を目指して−（編著，ミライカナイ，2018），ほか多数。

執筆協力者略歴

川上一也（かわかみかずや）

　昭和23年（1948）熊本県生まれ，熊本大学教育学部保健体育科卒業。熊本市立天明中学校長，熊本県玉東町立玉東中学校長，熊本市立二岡中学校長，熊本市中学校長会副会長，熊本県中学校体育連盟副理事長，熊本県教員団ソフトボール監督を歴任。

白石良寛（しらいしよしひろ）

　昭和26年（1951）熊本県生まれ，日本体育大学体育学部体育科卒業，元熊本県高校体育教諭，副校長を歴任。現九州体操協会会長，現熊本学園大学非常勤講師。

鋤崎澄夫（すきざきすみお）

　昭和22（1947）年熊本県生まれ，熊本大学教育学部保健体育科卒業，兵庫教育大学大学院修士課程修了。小学校校長・上益城郡教育指導主事を歴任。益城町小学校体育研究会を立ち上げ小学校若手教諭の人材育成に尽力。

藤本敏明（ふじもととしあき）

　昭和22年（1947）年熊本県生まれ，熊本大学教育学部保健体育科卒業。熊本県教育委員会体育保健課指導主事，上天草市立上小学校校長，上天草市立

登立小学校校長，上天草市立大矢野中学校校長，天草郡市小体研会長，上天草市教育長を歴任。

山添健陽（やまぞえけんよう）

昭和 60 年（1985）年長崎県生まれ，九州大学大学院人間環境学府修了。福岡市立警固中学校，長丘中学校，壱岐中学校の保健体育教諭。現在，福岡県学校保健体育研究会および福岡県中学校保健体育研究会事務局長を兼任。

吉田安宏（よしだやすひろ）

昭和 51 年（1976）佐賀県生まれ，九州大学大学院人間環境学府修了，佐賀県立鳥栖工業高等学校，佐賀西高校，大和特別支援学校の体育教諭。現在，佐賀県文化・スポーツ交流局 SAGA2023 競技式典課に所属。

あとがき

　「快適自己ペース」。これはポジティブ感情を最大化させる至適運動強度として考え，運動の継続化を企図した自己選択・自己決定型の主観的な運動強度のことです。「快適自己ペース」は，1986（昭和61）年，九州大学健康科学センターに着任したとき，運動生理学領域の斉藤篤司先生との共同研究で始めたものです。この頃は，わが国ではこれらの研究はまだ行われておらず，海外ではネガティブ感情（不安や抑うつなど）に対する運動の心理的効果の研究が主流でした。しかし，これらの研究成果は，一般の人びとの運動の継続には役に立たないと思い，ポジティブな感情を扱うようにし，そのための運動強度をどのようにしたらよいかを考えたわけです。まったくの直感でしたが，人が「快適」と感じる運動強度なら必ずポジティブな感情は得られると考えたわけです。研究を進めるうちに，世のなかに絶対に受け入れられるという確信が日々高まってきましたので，わくわくする気持ちで実験を行っていました。その後21世紀に入り，アメリカでポジティブ心理学運動が台頭し，ポジティブ感情はウェルビーイングの構築に欠かせない研究領域の1つとしてあげられましたので，「やはりそうだったか」と，意を強くした次第です。

　何回となく海外で研究発表や講演を行いましたが，毎回非常に興味をもって聞いてくださいました。私自身としては，体育授業における走運動（持久走）の指導や健康・体力づくりの指導に「快適自己ペース」を用いていただきたいと思っています。また現在は，コロナ感染拡大防止のなか国民の皆さんが運動不足に陥っておられますので，まずは「快適自己ペース」でのウォーキングを推奨しようと思い，普及本として発刊した次第です。内容はできるだけわかりやすくしたつもりですが，難しいところがあるかもしれません。ご容赦ください。読者の皆さんの運動促進の一助になれば幸いです。また忌憚のないご意見やご批判をいただければ幸甚に存じます。

　最後に，本書の刊行にあたって快く引き受けていただきました花書院の仲西佳文様に厚く感謝の意を表します。また，スマイルオフィス西村の西村理美さん，熊本機能病院の荒井久仁子さんと堀健作さんには，執筆作業に関し多大なご支援いただきました。　ここに，厚く御礼申し上げます。

2021年2月5日

橋本公雄

"快適自己ペース"
― ランニング指導における発想の転換 ―

2021 年 2 月 20 日　初版発行

著　者　橋　本　公　雄
発行者　仲　西　佳　文
発行所　（有）花　書　院

〒810-0012　福岡市中央区白金 2-9-6
TEL　092（526）0287
FAX　092（524）4411

印刷・製本　城島印刷株式会社